Collection Ha
vous la conna
et vous l'aime

Vous avez toujours sous les yeux le
même décor familier, le même paysage trop
connu, et vous imaginez des mers
coralliennes, des châteaux d'une
splendeur impressionnante, des jardins
féeriques à la végétation luxuriante...
Vous lisez la Collection Harlequin!

Vous faites sans cesse les mêmes gestes
monotones, votre vie semble être une éternelle
répétition. Vous aimeriez changer de rôle,
éprouver des sentiments nouveaux et excitants,
devenir une autre...
Vous lisez la Collection Harlequin!

L'amour, peut-être vous comble-t-il ou bien
peut-être vous a-t-il déçue. Comblée, vous ne
vous lassez pas d'en ressentir les joies. Déçue,
vous voulez encore croire qu'il existe...
Vous lisez la Collection Harlequin!

Vous voulez vous évader du quotidien, vous avez
envie de voir des terres inconnues, des paysages
exotiques, vous désirez partager les aventures
captivantes de personnages passionnés aux
sentiments entiers et profonds...
Vous lisez la Collection Harlequin!

COLLECTION HARLEQUIN
Tout un monde d'évasion

Janet Dailey
est aussi l'auteur de

LA FIANCEE DE PAILLE (#15)
LA CANNE D'IVOIRE (#29)
LA COURSE AU BONHEUR (#31)
FIESTA SAN ANTONIO (#38)
POUR LE MALHEUR ET POUR LE PIRE (#53)
LES SURVIVANTS DU NEVADA (#64)

LE VAL AUX SOURCES

Janet Dailey

PARIS · MONTREAL · NEW YORK · TORONTO

Publié en octobre 1979

ISBN 0-373-49068-2

Dépôt légal 4e trimestre 1979
Bibliothèque nationale du Québec et Bibliothèque nationale
du Canada.

Imprimé au Canada—Printed in Canada

— Ainsi, tu as donné à Kevin Jamieson la permission de m'épouser... c'est bien cela ? fit Tisha Caldwell avec colère.

Elle tourna brusquement la tête vers son père, et ses longs cheveux volèrent sur ses épaules ; son regard étincelait de fureur.

— Je lui ai donné la permission de te demander en mariage, rectifia-t-il, les dents serrées.

— Avec ta bénédiction ! acheva-t-elle, sans chercher à dissimuler l'ironie mordante qui perçait dans le ton de sa voix.

Leurs yeux se croisèrent avec défi, chacun s'efforçant de faire céder l'autre, — tous deux avaient de fortes personnalités. Grand et solidement musclé, Richard Caldwell gardait cette allure sportive qui était la sienne autrefois, à l'université. Au fil des ans, son beau visage, sans s'altérer, avait pris un peu plus de caractère, et quelques fils d'argent parsemaient ses cheveux noirs.

L'expression de Tisha Caldwell n'était pas aussi saisissante que celle de son père. Au repos, l'ovale de son visage, pour être séduisant, n'avait rien de vraiment remarquable. Mais si la joie ou la colère venaient l'animer, comme à cet instant précis, sa beauté forçait alors l'admiration, devenait radieuse. Ces éclairs où se révélaient ce charme singulier étaient assez fréquents, car Tisha avait hérité de son père une nature très vive et un goût farouche de l'indépendance. Et c'était lui qui, la plupart du temps, provoquait ces réactions.

— Oui, avec ma bénédiction, remarqua sèchement Richard Caldwell. Kevin est un jeune homme respectable et respectueux, ce que je ne saurais dire des individus avec lesquels tu sors !

— Ça, je te l'accorde volontiers, il ne ressemble à aucun des garçons avec qui j'ai habituellement rendez-vous ! remarqua Tisha avec vivacité. J'ai l'impression qu'après m'avoir embrassée, pour me dire au revoir, il se précipite chez lui pour prendre une douche. Au cas où il se serait sali...

— Il est tout à fait normal, je t'assure. Mais il domine ses instincts.

L'air sombre, il pointa l'index vers sa fille.

— Au moins, quand tu sors avec Kevin, tu ne reviens pas échevelée, comme si tu avais subi les assauts d'une bête sauvage.

Tisha serra les poings.

— Tu me mets dans une telle colère... J'ai envie de hurler, murmura-t-elle. Deux garçons seulement, parmi tous ceux que je connais, se sont permis quelques petites privautés. Mais pas un seul ne s'est conduit comme tu le prétends.

— Je l'espère bien !

Ses yeux bruns plongèrent dans ceux de sa fille ; ces derniers avaient la couleur verte de l'océan sous la tempête.

— Ces jeunes gens savent bien, poursuivit Richard Caldwell qu'ils auraient affaire à moi s'ils s'avisaient de poser la main sur toi !

— J'aurai vingt ans dans un mois, Père, soupira Tisha, l'air exaspérée. Quand cesseras-tu de me traiter comme une enfant ? Je suis assez grande pour savoir si

6

je dois me marier ou non... et je n'ai pas besoin de tes conseils pour choisir un mari... Il en va de même de mes fréquentations ; d'ailleurs, je suis parfaitement capable de me défendre, au besoin !

— Aucune femme n'a assez de force physique pour résister à un homme, fit-il d'un ton à la fois railleur et autoritaire. C'est à son père et, par la suite, à son mari de la protéger.

— A t'entendre, on se croirait encore au moyen âge ! Et il faudrait remonter au déluge pour trouver l'origine de ton comportement ! marmonna-t-elle.

Soudain la sonnette résonna dans l'entrée ; Tisha lança à son père un regard noir et accusateur.

— Je suppose que tu as dis à Kevin de venir à la maison cet après-midi. En tout cas, j'espère qu'il n'a pas acheté d'alliance ; quoique ce serait un plaisir de la lui jeter au visage...

— Tâche de te montrer polie ! s'exclama Richard Caldwell, tandis que Tisha se dirigeait vers le hall.

Elle rejeta vivement en arrière les longs cheveux auburn qui lui descendaient presque jusqu'à la taille ; prête à se déchaîner contre l'homme qu'elle pensait découvrir sur le seuil, elle ouvrit la porte d'un geste brusque. Une femme se tenait devant elle, l'œil interrogateur. Un léger sourire étonné détendait ses lèvres.

— Je ferais peut-être mieux de revenir plus tard, remarqua-t-elle.

Ses yeux, marrons et rieurs, pétillaient. A première vue, elle paraissait assez jeune ; mais, les petites rides d'expression qui creusaient de minuscules sillons sur son front et autour de sa bouche, trahissaient son âge. Ses cheveux, noirs et coupés court, étaient éclairés par une mèche blanche qui, si l'on n'examinait pas les racines, semblait due à une teinture.

Tisha fit un pas de côté pour livrer le passage à la

nouvelle venue. Puis, sans attendre, elle traversa le hall à grandes enjambées.

— Ce n'est que Blanche, déclara-t-elle à son père qui, les sourcils levés, l'interrogeait du regard.

Elle se laissa glisser sur les coussins du sofa, décoré de motifs floraux ; elle n'aurait su dire si elle était satisfaite ou bien déçue que ce ne soit pas Kevin.

La mâchoire de Richard Caldwell se contracta convulsivement. Il paraissait, tout comme Tisha, prêt à éclater de colère.

— Tu me feras le plaisir de ne pas t'adresser à ta tante comme à une simple connaissance, remarqua-t-il en grommelant. Tu dois le respect aux aînés.

— Si jamais elle m'appelle Tante Blanche, je vous le ferai regretter à tous les deux !

Le ton sévère employé par Blanche Caldwell ne manquait pas d'humour. Sans se soucier de l'air irrité de son frère qui s'efforçait, tant bien que mal, de se maîtriser, elle parcourut la courte distance qui la séparait d'eux et lui planta un baiser rapide sur la joue.

Elle portait un pantalon rouge vif et un corsage blanc agrémenté de fleurs du même rouge ; mince et élancée, elle ne ressemblait nullement à la vieille fille qu'elle était supposée être.

— Et je suis, en plus, heureuse de te voir, Richard, dit-elle ironiquement.

— Je suis content que tu sois là, fit-il en appuyant sur ses mots. J'essaie d'inculquer à cette jeune fille quelques principes basés sur le simple bon sens, mais j'ai beau faire, elle ne veut pas m'écouter.

— Le bon sens !...

Balayant l'air avec désinvolture, Tisha désigna son père du doigt et ajouta :

— Il tient absolument à me faire épouser un type qui me met positivement les nerfs en pelote, sous prétexte qu'il est bien comme il faut !

— Je ne te force tout de même pas à te marier avec Kevin Jamieson ! s'écria Richard Caldwell.

— Et comment appelles-tu cela, alors ? demanda-t-elle.

Désarçonné, il leva les mains comme s'il cherchait à comprendre, avant de se tourner vers sa sœur :

— Elle déforme tout ce que je dis et me prête des propos que je n'ai même pas tenus. J'essaie simplement de lui faire comprendre que Kevin est un brave garçon. Elle pourrait tomber plus mal.

— Papa ! Pour peu que ce soit moi qui choisisse mon futur mari, tu le critiqueras. Tu trouveras toujours quelque chose à redire, ne serait-ce que la couleur des yeux...

A son tour, Tisha prit Blanche à témoin :

— Il ne croit pas qu'une femme soit capable de faire un choix judicieux. Et c'est la raison pour laquelle il se sent, moralement, obligé de se mêler de mes affaires.

— En voyant le genre de types avec qui tu sors, on comprendra aisément pourquoi j'en éprouve le besoin, répondit-il aussitôt. Ils ont, pour la plupart, une seule idée en tête, et si je n'y prenais pas garde...

— Si je t'écoutais, je ne sortirais plus et j'attendrais que tu me trouves un mari ; un mari à ta convenance, répliqua-t-elle. Tu essayes toujours de m'imposer ma façon de m'habiller, de me maquiller, même mes amis. Je suis adulte, à présent, mais tu refuses de l'accepter. Pourquoi ?

— Parce que tu ne te conduis pas comme telle !

— Tu fais tout pour m'en empêcher, fit-elle en se penchant en avant, comme pour donner plus de poids à ses paroles. Quand nous nous mettons à table, tu en es encore à me demander si je me suis lavé les mains. Je ne suis plus une enfant !

Blanche Caldwell avait gardé le silence ; elle s'était

contentée de suivre cet échange verbal comme on assiste à un match de tennis, en spectateur.

— Oh, Richard, ce n'est pas possible, n'est-ce pas ? intervint-elle enfin, l'air amusé.

Il parut contrarié et marmonna d'un ton bourru :

— Parfois, il lui arrive d'oublier de se passer les mains à l'eau après avoir fait de la peinture, et... cela donne un goût à la nourriture.

— Et combien de fois cela m'est-il arrivé ? lança Tisha. Une fois ou deux, tout au plus.

— Voilà qui nous éloigne du sujet de la conversation, déclara son père, en se balançant d'une jambe sur l'autre.

— Bien au contraire ! affirma-t-elle, irritée. Nous sommes justement en train de parler de ta tendance à vouloir régenter ma vie ! Tu me dictes littéralement mon comportement jusque dans les moindres détails !

— Je suis ton père et j'en ai le droit !

— Mais j'ai ma propre personnalité, et ma vie privée ne regarde que moi ! Et si je me trompe, ce sera de ma faute...

D'étranges petites flammes d'un vert sombre luisaient dans ses grands yeux aux cils noirs et fournis. Elle vibrait de colère.

— Aussi longtemps que tu vivras sous mon toit et que je te nourrirai, tu devras m'écouter.

— Bien, dit-elle avec froideur. C'est peut-être la solution : je vais partir.

— Tu ferais bien d'y réfléchir à deux fois, ma petite fille...

Il semblait, en dépit de cet avertissement, s'être soudainement apaisé.

— Tu ne gagnes pas suffisamment pour subvenir à tes besoins, reprit-il. Et le modeste pécule que ta mère avait amassé pour toi ne te reviendra qu'à vingt et un ans.

— Je commence à comprendre le sens du mot

10

« oppression ». Je préférerais presque mourir de faim plutôt que vivre dans une maison où je dois obéir au doigt et à l'œil ! s'écria-t-elle avec amertume.

— Ne me parle plus sur ce ton, ou alors regagne ta chambre !

Le visage de Richard Caldwell était sombre et tendu, comme s'il faisait un effort considérable pour se contrôler.

— Je ne suis plus une enfant !

— Patricia Jo Caldwell, je te donnerais bien encore une fessée, menaça son père.

Blanche pouffa de rire, et l'atmosphère tendue redevint plus amicale.

— Tu ne vas tout de même pas te livrer à ce genre d'exercice avec dix ans de retard, Richard.

Tournés vers son frère, ses yeux pétillaient de malice. Elle adressa à sa nièce un regard chaleureux et compréhensif.

— Comment faire autrement avec une gamine têtue et indisciplinée, comme la mienne ? demanda-t-il, l'air absent. Si sa mère était encore en vie, peut-être pourrait-elle la raisonner... Je crois pourtant agir au mieux de ses intérêts.

— C'est ce que tu crois, Papa. Mais tiens-tu seulement compte de mes pensées ?

En entendant citer sa mère, elle s'était un peu radoucie.

— Si tu m'écoutais de temps en temps, au lieu de discuter, d'argumenter à n'en plus finir. Tu as toujours refusé le moindre conseil : il fallait que tu juges par toi-même.

— Je crois qu'on pourrait dire tel père, telle fille, suggéra paisiblement Blanche.

— Dieu m'en préserve ! s'exclama Tisha en se levant.

— Où vas-tu ? fit Richard Caldwell.

— Dans ma chambre. Si Kevin me demande, dis-lui

que je ne veux pas le recevoir. Il n'est pas question que je l'épouse ; d'ailleurs, j'ai décidé de ne plus jamais le voir !

— Je n'ai jamais exigé le contraire ! remarqua-t-il, la gorge nouée.

Tisha s'arrêta dans l'embrasure de la porte et se retourna légèrement. Elle se tenait toujours très droite, mais ses yeux verts, couleur d'océan, avaient retrouvé toute leur limpidité.

— Non, Papa, tu ne m'as jamais ordonné quoi que ce soit, reconnut-elle gravement. Seulement tu as beaucoup de charme et tu t'en sers. Tu ne recules devant rien, pas même le chantage affectif. Ainsi, je me retrouve dans des situations impossibles : tu as fait croire à ce garçon, pour qui je n'ai pas la moindre attirance, tu le sais, qu'éventuellement, je pourrais l'épouser. Et c'est cela que tu appelles agir au mieux de mes intérêts...

— Est-ce si mal ? remarqua-t-il sur un ton conciliant et un peu cajoleur. Tu n'as même pas donné sa chance à Kevin ! Avec le temps, tu te serais peut-être mis à l'aimer...

Un sourire triste et désenchanté apparut sur les lèvres de la jeune fille.

— Tu n'as toujours pas renoncé, n'est-ce pas ? Mais Papa, comprends-moi : si jamais je me marie, ce dont je commence à douter sérieusement, ce sera avec quelqu'un que j'aurai choisi moi-même... et peu importera ton opinion, alors !

— Ne sois pas stupide ! s'exclama son père.

Une ride creusa son front.

— Tu te marieras un jour, c'est évident, ajouta-t-il. Un mari et des enfants, voilà ce qu'une femme peut rêver de mieux.

Tisha haussa un sourcil moqueur.

— Est-ce si sûr ? Je ne crois pas que Blanche t'approuverait. Je n'ai jamais vu, me semble-t-il, de femme aussi heureuse que ta sœur. Elle a un métier et mène sa vie à sa guise. J'envie sa liberté. Toi-même, tu n'essaies pas de lui dicter sa conduite.

Cette fois-ci, Tisha ne laissa pas à son père le temps de répondre et s'engagea vivement dans le couloir. Finement, elle préférait couper court à la discussion au moment précis où elle venait de marquer un point. Elle entendit distinctement le rire sonore de Blanche et les grognements furieux de son père.

Quelques instants plus tard, on frappa discrètement à la porte de sa chambre.

— Tu peux entrer, Blanche, fit-elle.

Celle-ci pénétra dans la pièce ; un sourire entendu, tendrement ironique, se dessinait sur ses lèvres. Tisha, toujours prompte à s'enflammer, s'était apaisée. Mais sur son visage, se lisait encore le défi.

— Je te prie de m'excuser pour la scène dont tu as été le témoin, déclara Tisha. Mais tu connais Papa depuis beaucoup plus longtemps que moi.

Sa tante acquiesça d'un léger signe de tête.

— Il y a des moments où Richard se montre d'une arrogance... Toutes les femmes qui, par le passé, se sont traînées à ses pieds l'ont conforté dans l'idée de sa supériorité masculine.

— Et j'en fais partie, soupira Tisha.

Elle prit une veste, négligemment jetée sur une chaise, et la rangea dans la garde-robe au pied de laquelle s'étendait un tapis de laine d'un orange soutenu. La décoration de la pièce reflétait, avec ses taches de couleurs chaudes et éclatantes, la personnalité rayonnante et le tempérament de feu de la jeune fille.

— A mes yeux d'enfant, il représentait tout, poursuivit-elle. Il était fort, affectueux et beau... Je rêvais de rencontrer un homme qui, en tout point, lui aurait ressemblé.

Elle fit une grimace éloquente.

— Grâce à Dieu, cela ne s'est pas produit ! Maintenant, je comprends pourquoi Papa et Maman se disputaient si souvent.

— Autant que je me souvienne, dit sa tante avec nonchalance, ces discussions entre Lénore et ton père se terminaient toujours par des rires et des baisers. Une femme plus effacée ne lui aurait pas apporté le bonheur qu'il a connu avec ta mère. Richard ne pouvait pas la dominer ; et, c'est la raison pour laquelle il l'aimait.

— J'aimerais tant qu'il renonce à me dominer moi aussi !

— Il n'a pas beaucoup de chance d'y arriver, constata Blanche en souriant. Tu ressembles beaucoup trop à tes parents !

— Mais pourquoi me refuse-t-il toute indépendance ?

— Il y a deux raisons à cela, Tisha. Tu sais bien que les libertins repentis font les parents les plus sévères... Et il y aurait beaucoup à dire sur les fredaines de jeunesse de mon frère, avant sa rencontre avec Lénore...

Elle s'interrompit un instant pour voir l'effet de ses paroles sur sa nièce et poursuivit :

— Ensuite, lors de la disparition de ta mère — tu n'avais que quatorze ans — Richard s'est senti responsable envers toi. Il ne saurait la remplacer, il en est bien conscient. Néanmoins, il estime avoir une sorte de droit de regard sur tout ce qui te concerne. Il n'agirait pas ainsi si ta mère était encore en vie, ou si ta tante ne négligeait pas tant ses devoirs, te rendant visite seulement quand cela l'arrange.

Un sourire radieux illumina le visage de Tisha.

— Oh, Blanche ! Tu es irremplaçable. Tu te trouves toujours là, à point nommé, quand j'ai besoin de parler, de faire le point.

14

— Je suis heureuse de pouvoir t'aider une fois de temps en temps.

— Et je t'en remercie, souligna Tisha. Maintenant, dis-moi ce qui t'a amenée à quitter ta retraite de Hot Springs et les monts Ozarks pour venir à Little Rock ?

— J'ai dit à ton père que je venais chercher des fournitures : toiles, couleurs, etc. ; mais c'est un prétexte, bien sûr...

L'air taquin, elle plissa légèrement la bouche.

— En fait, il y a bien longtemps que je ne vous ai vus ! J'ai beaucoup tardé à vous rendre visite, je me sens un peu coupable. J'ai tendance à perdre toute notion du temps.

— Nous ne t'avons pas réservé un accueil très chaleureux, remarqua Tisha.

Son regard s'était soudainement embrumé ; elle ressentait une grande tristesse.

— Ma dernière apparition n'est pas si lointaine qu'il faille dérouler les tapis rouges et rassembler la fanfare au grand complet, fit Blanche en riant de bon cœur.

Puis, comme si elle ne tenait pas à s'étendre sur ce sujet, elle se tourna vers les toiles alignées au hasard dans un coin de la chambre ; aménagé en petit atelier.

— D'après ton père, ta peinture ne te rapporte pas beaucoup d'argent...

— C'est malheureusement vrai, reconnut Tisha dans un soupir. Du moins en ce qui concerne les toiles que je peins pour mon plaisir. J'en arrive, petit à petit, à cette conclusion : je suis un peintre honnête — tout juste bonne à travailler sur commande — et non pas un artiste de génie.

— Mais cela n'a rien de déshonorant, Tisha. Qu'as-tu vendu jusqu'à présent ?

— Des cartes de vœux, des calendriers... et surtout des affiches publicitaires.

Un pli amer se dessina sur sa bouche.

— Papa avait raison, tu sais : je ne gagne pas assez pour subvenir à mes besoins.

D'un geste rageur, elle repoussa ses longs cheveux soyeux derrière son oreille ; dans le flot de lumière qui pénétrait par la fenêtre, ils se mirent à briller. Leur couleur ne se révélait qu'au soleil : ils étaient d'un roux flamboyant et doré.

— Parfois, je regrette de ne pas être un homme, déclara Tisha d'une voix vibrante de colère retenue. Une femme commence par vivre sous le contrôle de ses parents jusqu'au mariage. Ensuite, elle devient, pour le reste de son existence, l'esclave des caprices de son mari. Je crois bien que je déteste tous les hommes. La façon dont ils essayent de nous convaincre de leur supériorité est franchement écœurante. Nous sommes le sexe faible parce que nous avons moins de muscles et plus de matière grise... Une femme peut duper un homme quand elle le veut.

Une lueur s'alluma dans les yeux très bruns de Blanche.

— Et qui t'a fait perdre tes illusions sur les hommes ? Ce Kevin ou ton père ?

— Tous ceux que j'ai eu l'occasion de rencontrer, en fait, répondit-elle d'un ton où se mêlaient l'amertume et le cynisme. Sois belle et tais-toi, voilà leur devise. Le reste ne les intéresse pas.

— Tu as trop lu de pamphlets féministes, reprocha gentiment sa tante. Les hommes et les femmes sont avant tout des êtres humains ; et à ce titre, ils ont chacun leurs propres défauts. Tu n'es tout de même pas en train d'essayer de me dire qu'aucun garçon ne t'a vraiment plu ?

Tisha réalisa soudain qu'elle avait parlé avec beaucoup de suffisance, et un sourire embarrassé apparut sur ses lèvres.

— En fait, il y en a eu un certain nombre, admit-elle

16

franchement. Cependant, je ne me suis pas trompée moi-même au point de croire que je les aimais. Et c'est probablement la raison pour laquelle je n'ai jamais fait d'histoires quand Papa me refusait la permission de sortir avec l'un d'eux. Mais ce n'est pas à lui de décider avec qui je vais me marier.

— Maintenant, il sait que tu ne veux à aucun prix de ce Kevin ; il n'insistera pas.

— Il trouvera quelqu'un d'autre, dit Tisha en bougonnant. Blanche, j'aime mon père tendrement, mais je ne peux pas vivre avec lui. Aussi longtemps que je serai ici, il voudra me dicter ma conduite. Il ne me reste plus qu'une seule chose à faire : abandonner la peinture et trouver du travail.

— J'ai une autre idée, annonça Blanche en observant attentivement les toiles de sa nièce. Tu pourrais venir habiter chez moi, à Hot Springs.

— C'est sérieux ? souffla Tisha.

Elle n'en croyait pas ses oreilles ; Blanche Caldwell préservait si jalousement son intimité et sa solitude...

— Tout ce qu'il y a de plus sérieux, assura celle-ci, en soutenant avec calme le regard interrogateur de sa nièce. Si tu désires faire une carrière artistique, je ne vois pas pourquoi tu la sacrifierais à cause du manque d'argent et d'un père particulièrement obstiné.

— Mais que va dire, Papa ?

Blanche eut un rire de gorge qui s'accordait remarquablement avec sa voix grave.

— Il ne peut tout de même pas s'opposer à ce que sa sœur joue les chaperons ?

— Mais... est-ce que je ne vais pas te... gêner dans ton travail ? demanda Tisha, révélant ainsi ce qui, par-dessus tout, la préoccupait.

— Je pourrais peindre au beau milieu d'un carrefour sans jamais remarquer la circulation. Je crois que j'aimerais vivre en compagnie d'un peintre, — un collègue, en quelque sorte — surtout si c'est ma nièce.

— Je ne sais que dire... s'écria Tisha, en proie à une vive exaltation.

En dépit de ses démêlés, elle ne tenait pas à s'opposer ouvertement à son père, ni à quitter la maison sans son consentement.

— Si tu as envie de partager mon toit, tu n'as qu'à dire « oui ». C'est aussi simple que cela. Quand à ton père, je m'en occupe. Naturellement, les premiers temps tu vas te sentir un peu isolée...

— Comme je n'ai guère envie de sortir, cela tombe très bien. J'aurais peut-être une meilleure idée des hommes si je ne les fréquente pas pendant quelque temps. Tous ceux que j'ai rencontrés dernièrement m'ont semblé terriblement jeunes et égocentriques.

Le rire de Blanche résonna de nouveau. Elle posa sa main sur celle de Tisha.

— Je crois que tu as surtout besoin d'une petite aventure avec un homme plus âgé. Il va falloir que je te présente à mon voisin ; tu m'y feras penser, n'est-ce pas ?

— Si Papa t'entendait... fit-elle en souriant. Evite ce genre de propos devant lui, sinon il ne me laissera jamais m'installer avec toi.

— C'est quand même un peu fort de voir ces pères de famille — et spécialement ceux qui ont perdu leur femme — jouer les séducteurs, sans le moindre scrupule, mais exiger de leurs filles une conduite irréprochable ! déclara Blanche, une lueur décidée dans le regard. Remarque bien, je ne plaide pas pour que tu aies une liaison. Les tantes ont, elles aussi, leurs petits préjugés... pourtant, nous sommes moins collet monté que les parents.

— Qu'est-ce que cela signifie exactement ? demanda Tisha, une pointe de raillerie dans la voix. Je pourrai m'attarder avec le garçon qui m'aura raccompagné à la maison, alors qu'avec mon père j'avais tout juste droit à cinq minutes ?

Blanche éclata de rire et pressa légèrement la main de sa nièce avant de la lâcher.

— A peu près... répondit-elle. Et maintenant, il me faut persuader ton père que l'idée de ton installation à Hot Springs vient de lui... Tu n'es pas la seule à flatter sa vanité masculine !

2

Deux jours après le départ de Blanche, Tisha faisait route vers Hot Springs, en Arkansas. Ses vêtements, ses toiles, son matériel de peintre, et tout ce dont elle n'avait pu se séparer, encombraient sa voiture. Elle se sentait le cœur léger ; cependant, cette impression n'était pas liée au fait d'être libérée de la pesante tutelle de son père. Elle provenait de l'attitude chaleureuse de ce dernier lors de leurs adieux. Pour un peu, Tisha serait presque restée à Little Rock. Presque...

Sur les pentes des monts Ozarks, les forêts commençaient à se revêtir des couleurs vives et chatoyantes de l'automne ; seul le vert des sapins formait un contraste avec ces teintes propres à l'arrière-saison. Un soleil éclatant brillait dans un ciel d'un bleu laiteux ; mais le vent qui soufflait du nord était déjà froid.

Tisha ralentit à l'approche du croisement, puis s'arrêta au stop. Elle reconnaissait la route qui serpentait à flanc de montagne et menait à la maison de Blanche, qui demeurait en dehors de la ville. Cette route, particulièrement sinueuse, débutait par une courbe et la visibilité, à cet endroit, était des plus réduites. Fort heureusement, peu de gens circulaient sur ces petites départementales...

Confiante, la jeune fille traversa le carrefour et

amorça son virage. Elle achevait sa manœuvre, lorsqu'une puissante voiture de sport blanche surgit dans la
courbe, empiétant largement sur le côté gauche de la
chaussée. Le choc était inévitable. Manœuvrant adroite-
ment, le conducteur fit en sorte que les deux véhicules
ne se heurtent pas de front ; cependant, il accrocha en
dérapant le pare-chocs avant de Tisha.

Celle-ci, après avoir freiné brutalement, resta un
moment les mains crispées au volant, comme paralysée.
Puis, elle se mit à trembler de tous ses membres ; elle
était furieuse contre celui dont l'imprudence aurait pu
provoquer un accident mortel. Il venait de se ranger sur
le bas-côté, tout près du croisement.

Les yeux étincelants de colère, Tisha bondit hors de
sa voiture et se dirigea vers lui d'un pas vif. D'une
nature ardente et impétueuse, elle l'interpella avec
véhémence :

— Espèce d'idiot ! Vous auriez pu nous tuer ! Ce
n'est pas parce que vous avez une voiture de sport qu'il
faut vous croire tout permis : Monsieur fonce dans les
virages dangereux... roule à gauche... On devrait vous
interdire le volant !

Tisha mesurait près d'un mètre soixante-cinq, mais
l'homme la dominait de sa haute taille. Ses traits étaient
énergiques et son expression sérieuse ; néanmoins, elle
crut discerner dans ses yeux marron une lueur amusée.
Son cœur se mit à battre plus fort : l'émotion due à
l'accident, sans doute.

— Cette belle tirade me rassure, je vois qu'il n'y a
rien de grave, dit-il.

Il avait une voix grave, légèrement voilée, au timbre
fort agréable. Mais l'irritation de Tisha l'empêcha de le
remarquer.

— Non, et je vous en remercie ! répliqua-t-elle d'un
ton coupant. Vous deviez rouler à plus de cent dans ce

virage... Et l'on dit que les femmes ne savent pas conduire !

— Cent, à peine, fit-il sans chercher à dissimuler sa satisfaction. Sinon, je n'aurais jamais pu éviter le choc de face.

— Si vous aviez été moins vite et si vous aviez tenu votre droite, vous ne me seriez pas rentré dedans, du tout... lui rappela-t-elle, sèchement.

— C'est une voie privée, utilisée seulement par les gens qui vivent dans la montagne. Je ne m'attendais pas à rencontrer quelqu'un, remarqua-t-il en laissant errer nonchalamment son regard sur l'ensemble pantalon de Tisha.

— Cela n'excuse pas votre imprudence !

— Tout à fait d'accord, reconnut-il en lui prenant le bras. Allons constater les dégâts.

Elle se dégagea vivement et lui jeta un regard noir. Il haussa les sourcils, l'air un peu ironique. Ses cheveux châtains, décolorés par le soleil, étaient presque blonds. Une âpre beauté se dégageait de son visage aux traits vigoureusement dessinés. Il ne devait pas hésiter à user de son charme pour se tirer des situations les plus délicates... Elle afficha une expression délibérément froide et lui emboîta le pas.

— Vous êtes plutôt chargée, déclara-t-il en examinant l'avant du véhicule. Allez-vous vous installer dans la région ?

— Ce sont mes affaires, répliqua-t-elle.

Il est vraiment insupportable, pensa Tisha ; elle le regarda tandis qu'il se penchait sur la carrosserie. Il portait un costume de daim, probablement très coûteux, qui mettait en valeur son corps mince et musclé. Il avait les cheveux épais et très légèrement ondulés ; une fossette, à peine marquée, creusait son menton ; on devinait sous cet abord placide, un caractère très ferme, voire implacable. Tisha ne lui donnait guère plus de trente ans ; un détail la retint, — mais pouvait-on s'y fier ? — il n'avait pas d'alliance.

— Apparemment, il n'y a que le pare-chocs qui ait souffert, annonça-t-il en refermant le capot. Un bon garagiste devrait vous le remettre en état facilement. J'en connais un dans les environs ; je peux vous donner son adresse, si vous séjournez par ici.

— Conduisant comme vous le faites, murmura-t-elle d'un ton doucereux, cela ne m'étonne pas que vous connaissiez un bon garagiste. Vous avez dû recourir souvent à ses services.

— Effectivement, il a travaillé une ou deux fois pour moi, admit-il.

— Tiens ! Dites-moi, est-ce que vous touchez une commission sur chaque voiture endommagée que vous lui adressez ?

Il fronça les sourcils ; son regard filtrait au travers des paupières à demi closes. Une sorte de malaise s'empara de Tisha. Son pouls s'était accéléré.

— Ce sont mes affaires, à moi aussi, Rouquine, fit-il avec un sourire énigmatique.

— Je ne m'appelle pas Rouquine, lança-t-elle sèchement.

Il posa les yeux sur ses cheveux aux reflets auburn ; ceux-ci, à la lumière du soleil, paraissaient cuivrés.

— Vraiment ? Et quel est votre nom ?

Le visage fermé, elle gardait le silence. Il s'empressa alors d'ajouter, moqueur :

— C'est pour la compagnie d'assurances, bien sûr...

Elle hésita, puis céda à l'argument.

— Patricia Caldwell.

— Patricia, répéta-t-il, comme s'il tirait une certaine délectation à prononcer son nom.

— Tisha, pour mes amis, dit-elle avec froideur. Mais je préfère que vous vous en teniez à Mademoiselle Caldwell.

— Mademoiselle, et non pas Madame, commenta-t-il avec ironie. J'ai l'impression que vous êtes une de ces femmes qui revendiquent l'égalité des sexes.

— Je ne tiens pas du tout à être l'égale de l'homme, répondit-elle.

Tisha redressa le menton d'une manière arrogante et ajouta :

— Je ne veux pas m'abaisser à son niveau.

Il rejeta la tête en arrière et se mit à rire de bon cœur.

— Vous êtes digne de Katharina, l'héroïne de « La Mégère Apprivoisée » !

— Dans la pièce de Shakespeare, Katharina se soumet à Petruchio. Il n'est pas question qu'un homme me fasse subir sa domination.

Ses yeux verts lançaient des éclairs.

— Quel dommage, murmura-t-il. Il y avait là un beau défi à relever.

— Et si nous en venions au fait ? s'impatienta Tisha. Auriez-vous l'obligeance de me donner le nom de votre compagnie ainsi que le numéro de votre police d'assurance ?

L'air amusé, il sortit un stylo de la poche intérieure de sa veste et inscrivit rapidement sur un carnet les renseignements demandés. Il déchira la feuille et la lui tendit.

— Je vous ai laissé également mes coordonnées, dit-il.

Involontairement, elle lut le nom de son interlocuteur : Roarke Madison.

— Je ne m'appelle pas Petruchio... Vous voilà rassurée, j'espère, ajouta-t-il avec une pointe de sarcasme.

— Je ne me fais de souci que pour ma voiture, riposta Tisha.

— Le garagiste dont je vous ai parlé jouit d'une bonne réputation et...

— Vous voulez absolument m'adresser à votre ami, n'est-ce pas ?

Il y eut un court silence. Roarke Madison s'approcha de Tisha et posa la main sur le toit du véhicule endommagé.

— Il ne s'agit que d'un pare-chocs ; les réparations ne devraient pas coûter bien cher.

Il la regardait avec une sorte de nonchalance insolente.

— Croyez-vous vraiment, poursuivit-il, que j'ai besoin pour vivre du pourcentage que me céderait un garagiste ?

Cet homme paraissait très aisé : Tisha, les lèvres serrées, dut en convenir en son for intérieur. Mais cela ajouta encore à sa colère.

— Peu m'importe, fit-elle en haussant les épaules. Mais je ne peux pas me désintéresser totalement de vous. Par compagnies d'assurances interposées...

— Vraiment ? demanda-t-il d'un ton narquois. Je croyais que vous cherchiez à me provoquer de manière délibérée.

— Je connais bien des hommes suffisants et vaniteux, mais vous, vous les surpassez tous ! s'exclama-t-elle, l'œil étincelant.

— Votre mauvaise humeur de tout à l'heure me paraissait tout à fait excusable : vous étiez choquée par l'accident. J'ai reconnu mes torts ; mais je n'ai pas l'intention de vous laisser continuer à m'insulter !

Il fit un pas en avant et se pencha vers Tisha ; son visage était tout près du sien. Elle se sentit soudain la bouche sèche.

— Mais que faites-vous ? souffla-t-elle en se collant étroitement contre la voiture.

Elle se trouvait coincée. Un sourire un peu inquiétant apparut sur les lèvres de Roarke Madison.

— Autant que je me souvienne, remarqua-t-il, cette route de montagne n'est guère fréquentée.

— Ce qui veut dire...

— Ce qui veut dire, en un sens, que vous êtes à ma merci.

Son regard glissa sur la bouche entrouverte de la jeune fille. L'inquiétude la gagnait.

— Ne soyez pas ridicule. Je ne serai jamais à la merci d'aucun homme, surtout de votre genre !

— Aux cartes, le roi l'emporte toujours sur la reine. Vous feriez bien de ne pas l'oublier, répliqua-t-il d'une voix railleuse.

Il avança la main. Tisha, les muscles tendus, s'apprêta à riposter. Un petit claquement métallique brisa sa concentration ; surprise, elle vit la portière s'ouvrir. Elle se tourna vers Roarke Madison. Les yeux rieurs, il s'amusait de son embarras.

— Allez, Petit Chaperon Rouge, en route. Sinon le loup pourrait changer d'avis et vous dévorer.

Elle ne se le fit pas répéter deux fois et, s'asseyant au volant, mit aussitôt le moteur en route. Sans jeter un regard en arrière, elle accéléra progressivement dans le virage et fut bientôt hors de vue. Trop heureuse de fuir, elle n'avait pas même conscience de battre en retraite.

Quelques minutes plus tard, elle empruntait l'allée menant chez sa tante. La maison de Blanche était perchée sur une colline d'où l'on dominait une vallée boisée. D'aspect rustique, construite en bois de cèdre et de sapin, elle ne paraissait pas, à première vue, bien imposante. Les lucarnes, noyées de soleil, suggéraient que l'aménagement intérieur devait être entièrement moderne.

Tisha se gara et descendit de voiture. Comme Blanche ne se manifestait pas, elle décida de prendre quelques affaires sur la banquette arrière. Soudain, le bruit d'une pierre roulant sur le gravier la fit se retourner. Un bouc, tacheté de blanc et de noir, l'observait attentivement. Il était jeune, car ses cornes commençaient juste à pointer, tout comme sa barbe.

— D'où viens-tu ? lança Tisha en souriant.

En guise de réponse, il baissa la tête d'un air menaçant. L'œil noir, il lui barrait manifestement le passage. Ne tenant guère à l'affronter, bien que ses cornes fussent à peine ébauchées, elle tendit précautionneusement le bras vers le tableau de bord et donna un coup de klaxon. Elle ne quittait pas l'animal des yeux ; une porte s'ouvrit sur la façade.

— C'est un de vos amis, Blanche ? demanda-t-elle avec un peu d'hésitation.

— Tu viens de faire la connaissance de mon jardinier, s'esclaffa celle-ci. Allez, Billy, va-t'en !

Le bouc adressa un dernier regard à Tisha avant de s'éloigner.

— Il est très utile, expliqua Blanche. Il mange toutes les herbes folles et me sert de chien de garde.

— C'est un rôle qui lui va très bien. Je le trouve tout à fait convaincant.

— Mais il est parfois très affectueux, tu sais. A présent, Billy te connaît, tu n'as plus rien à craindre.

— Quoi qu'il en soit, voilà un animal qui correspond parfaitement à ton image d'artiste excentrique, remarqua Tisha d'un ton un peu taquin.

— Tu crois ? fit-elle, amusée. Tu as probablement raison. Bon, si nous déchargions ta voiture et portions tes affaires à la maison... J'ai installé mon atelier différemment ; tu pourras en utiliser une partie.

— Oh, Blanche, tu n'aurais pas dû.

— J'ai suffisamment de place, dit-elle en s'emparant de deux valises. Et Richard, comment a-t-il pris ton départ ?

— Il n'était pas très heureux, mais il a fini par admettre, semble-t-il, que c'était la meilleure solution.

Un sourire vaguement nostalgique erra sur ses lèvres. Elle ajouta :

— La maison va lui paraître terriblement vide…

— N'aie pas de remords. Tu serais partie, un jour ou l'autre ; ton père ne l'ignore pas. Et puis vivre seul a du bon. Je suis bien placée pour le savoir.

— Je n'envisage pas de rentrer, déclara Tisha. Au bout de quelques jours, je me disputerais à nouveau avec Papa. J'espère simplement que je ne vais pas te gêner.

— Je ne me fais pas de souci à ce sujet. Sinon, je ne t'aurais jamais invitée.

Blanche ouvrit la porte et invita sa nièce à entrer.

— Mais, à propos, comment s'est passé le voyage ?

Tisha esquissa une grimace.

— Je préfère ne pas t'en parler.

— Tu t'es perdue sur ces routes de montagne ?

— Il eût mieux valu, je crois bien. Une voiture m'a accrochée au pied de la colline. Un type, un véritable crétin, qui roulait à toute vitesse dans un virage… Il a failli m'emboutir de face. J'ai eu la chance de m'en tirer avec un pare-chocs enfoncé.

— Tu n'as pas été blessée, au moins ? demanda Blanche en lui jetant un regard anxieux.

Tisha fit signe que non.

— Ton séjour ici ne commence pas très bien, soupira sa tante.

— Il faut que j'en prenne mon parti. Après la pluie, vient le beau temps. Et vice-versa…

— J'ai pensé que tu aimerais la chambre qui est orientée au sud. Il y a une vue splendide sur la vallée et la montagne.

Ce fut seulement dans le courant de l'après-midi que Tisha acheva de défaire ses paquets et de ranger provisoirement ses affaires. Elle traversa le salon et se laissa tomber lourdement sur les coussins du sofa.

Presque au même instant, sa tante apparut dans l'embrasure de la porte de la cuisine ; elle apportait des rafraîchissements et des petits gâteaux.

— Tu as fini ? J'allais juste te proposer de faire une pause. Que dirais-tu d'un thé glacé ?

— J'en rêve ! s'exclama-t-elle en tendant le bras vers le plateau et en se saisissant d'un verre. Toutes mes affaires ont trouvé, plus ou moins leur place. Pour l'instant…

— Un déménagement se passe toujours dans la fièvre, remarqua Blanche, tandis que résonnait la sonnette de la porte d'entrée.

Elle se dirigea vers le vestibule. Voluptueusement, Tisha but une gorgée de son thé ; puis, elle se massa la nuque et s'étira pour détendre ses muscles douloureux. Des murmures étouffés lui parvenaient vaguement de l'entrée. Enfin, elle entendit distinctement Blanche annoncer d'une voix pleine de gaieté :

— Entrez donc. Je veux vous présenter ma nièce.

Tisha se retourna avec curiosité et, soudain, son sourire se figea.

— Vous ! s'écria-t-elle, tout à la fois, furieuse et interdite.

— Vous vous êtes déjà rencontrés ? fit Blanche, un peu déconcertée.

Roarke Madison se mit à sourire.

— Vous devriez plutôt dire « rentrés dedans », corrigea-t-il.

— C'est vous qui m'êtes rentré dedans, intervint Tisha.

— Effectivement, admit-il en s'adressant à Blanche. C'est moi qui suis la cause de cet accident.

— Je vois, murmura-t-elle.

Elle pinçait les lèvres comme si elle essayait de réprimer un sourire.

— Étant donné les circonstances, reprit-elle, je ne crois pas que ces présentations s'imposent.

— J'avais déjà deviné qu'elle était votre nièce, révéla Roarke. Et j'ai pu me rendre compte que c'était une rousse au tempérament plutôt vif.

— Apprenez que mes cheveux sont auburn, lança Tisha d'un ton cinglant. Quant à vous, vous n'êtes pas seulement un conducteur imprudent, mais aussi un individu arrogant et vaniteux !

— Je sais, vous me l'avez déjà dit tout à l'heure, déclara-t-il, nullement impressionné par la virulence de la jeune fille.

— Roarke est aussi mon voisin, fit Blanche, les yeux brillants. Tu te souviens ? Je voulais te le présenter.

Tisha se souvenait parfaitement : c'était l'homme avec qui sa tante lui avait suggéré d'avoir une petite aventure... Ses joues s'empourprèrent. Elle sentit son regard se poser sur elle ; l'air amusé, il paraissait s'interroger.

— En ville, j'ai fait le nécessaire pour qu'on s'occupe de votre voiture dès demain, annonça-t-il en se dirigeant d'un pas tranquille vers un fauteuil en face de Tisha.

— Vous pouvez annuler, répondit-elle avec froideur. Je me débrouillerai toute seule.

— Ne sois pas stupide, Tisha, remarqua Blanche. Il n'est pas si aisé de trouver un carrossier compétent. Tu devrais accepter l'arrangement de Roarke...

Celui-ci garda le silence, et Tisha lui lança un regard irrité. Elle aurait préféré qu'il tente de la persuader : elle se serait alors abandonnée à sa colère.

— Il semble que je n'aie pas le choix, marmonna-t-elle de mauvaise grâce.

Elle cédait ; mais à sa grande surprise, il ne profita pas de l'occasion pour l'accabler en affichant un air de supériorité typiquement masculine. Avec une sorte de détachement, il lui donna le nom et l'adresse du garagiste.

— Si tu descends en ville demain, je crois que je t'accompagnerai, dit Blanche. Il y a plusieurs semaines que je ne suis pas allée à l'établissement thermal prendre un bain et me faire masser. Je vais passer un coup de fil pour prendre rendez-vous. Qu'est-ce que tu en dis, Tisha ? Les eaux sont réputées, et les bains extraordinairement stimulants...

Secouant la tête, Tisha refusa poliment.

— Une autre fois.

— Et si tu offrais du thé glacé à Roarke pendant que je téléphone, suggéra sa tante en prenant la direction de l'atelier.

Tisha ne demandait pas mieux que d'échapper au regard sombre et brillant de cet homme ; à cette présence masculine qui imprégnait littéralement la pièce... Mais, il la suivit de son allure nonchalante jusque dans la cuisine. Il s'appuya contre le chambranle ; Tisha le sentait derrière elle, plus qu'elle ne le voyait. Elle ouvrit les placards les uns après les autres, mais ne parvint pas à trouver les verres.

— Laissez-moi faire, dit Roarke qui, sans hésiter, se dirigea vers la bonne porte.

— Cette maison vous est très familière, n'est-ce pas ? ironisa Tisha tandis qu'il sortait du réfrigérateur le pichet contenant le thé.

Son regard moqueur glissa sur elle.

— Très, en effet.

— Vous y venez souvent ? demanda-t-elle d'un ton volontairement glacial et méprisant.

— Pourquoi toutes ces questions ? Vous voulez savoir si votre tante et moi sommes amants ?

Tisha fut prise au dépourvu par la franchise de Roarke ; cette idée ne lui avait jamais, consciemment, traversé l'esprit.

— Blanche est une femme séduisante et chaleureuse, constata-t-il.

— Elle a au moins dix ans de plus que vous !

Ses yeux d'un vert profond s'étaient soudain assombris.

— Je ne vois pas en quoi cela vous surprend — étant donné ce que vous pensez de moi...

— Cela ne me surprend pas, cela me dégoûte ! répliqua-t-elle sèchement.

— Blanche m'a appris que vous avez reçu une éducation très stricte.

Puis, l'air condescendant, il ajouta :

— Vous devez avoir une conception particulièrement puritaine des rapports entre hommes et femmes.

— Ma tante n'avait aucun droit de vous faire ces confidences !

Amusé par cette exclamation, Roarke se mit à la dévisager ; elle eut brusquement l'impression d'être à ses yeux une gamine inexpérimentée.

— Je ne suis pas aussi ignorante, en cette matière, que vous ne semblez le croire.

Il eut un petit sourire en coin, légèrement dubitatif, et remarqua :

— Vous avez déjà beaucoup d'expérience, n'est-ce pas ?

— Cela me regarde ! A la différence des hommes, les femmes n'éprouvent pas le besoin de faire étalage de leur vie amoureuse... fit-elle par bravade.

Les yeux de Roarke, éclairés d'une lueur presque diabolique, glissèrent lentement sur le corps souple de Tisha, s'attardant sans retenue sur la courbe des seins et des hanches pour atteindre les jambes, longues et minces.

— C'est curieux, murmura-t-il en ramenant son regard vers le visage empourpré de la jeune fille. Mais vous ne me donnez pas l'impression d'être une femme dans tout le sens du terme. Je crois qu'il va falloir que je révise mon opinion sur vous...

— Ne vous donnez pas cette peine !

— Mais c'est un plaisir, au contraire. Voyez-vous, j'ai toujours aimé les défis.

— Vraiment ? demanda-t-elle, d'une voix mielleuse. Dans ce cas, vous allez être comblé : je vous méprise !

— Comme point de départ, ce n'est pas mal, fit-il en lui adressant un large sourire.

Ses dents blanches contrastaient avec son teint hâlé qui rappelait la couleur du teck.

— Cependant, si vous m'aviez détesté, ajouta-t-il, cela aurait été encore plus intéressant.

— Mais je vous déteste aussi ! déclara-t-elle, d'autant plus irritée qu'il ne paraissait guère s'émouvoir de ses attaques répétées. Occupez-vous plutôt de celles qui sont sensibles à l'intérêt que vous leur portez. Blanche, par exemple...

— Blanche est une amie, rien de plus.

— Rien de plus... murmura-t-elle, sarcastique. J'aurais plutôt juré le contraire, en vous entendant parler d'elle, tout à l'heure.

— Vous espériez que je parlerais d'elle en ces termes. Alors, je l'ai fait.

Elle se sentit troublée par l'expression singulière de son regard ; son cœur se mit à battre violemment. Furieuse de s'être ainsi laissé jouer, elle ignora délibérément la part de vérité contenue dans la remarque de Roarke.

— Ainsi, dit-elle entre ses dents, vous connaissez parfaitement cette maison du fait de votre... amitié avec ma tante.

— Et surtout, expliqua-t-il en souriant, parce que c'est moi qui l'ai conçue.

Tisha resta confondue. Enfin, elle parvint à articuler :

— Que voulez-vous dire ?

— Je suis architecte. J'ai tracé les plans, et supervisé toute la construction.

— Je l'ignorais, balbutia-t-elle.

— Vous ne l'avez pas demandé.

Il haussa les sourcils d'une manière moqueuse.

— Vous préféreriez croire, reprit-il, que j'en connaissais tous les recoins à cause de Blanche. Cela correspondait si bien à l'idée peu flatteuse que vous vous faites de moi...

— Vous avez voulu me tourner en ridicule, tout simplement, fit Tisha d'un ton accusateur.

— Je vais employer un vieux cliché, bien usé, mais je trouve qu'il vous va à merveille : vous êtes remarquablement belle quand vous vous mettez en colère.

Appuyé contre le mur, il se redressa négligemment puis reprit :

— Je n'ai pas pu résister à l'envie de craquer l'allumette sachant que vous vous enflammeriez.

Blanche apparut dans l'embrasure de la porte avant que Tisha, profondément irritée, ait eu le temps de répliquer.

— De quoi étiez-vous donc en train de parler ? Est-ce une querelle privée, ou puis-je y prendre part ?

— Cette petite discussion avait trait à tous ces cœurs brisés que Mademoiselle Caldwell a laissés derrière elle.

Intriguée, Tisha plissa le front — en fait, ils s'étaient entretenus de tout autre chose.

— Je n'ai pas laissé le moindre cœur brisé, se surprit-elle à dire.

— Je ne pense pas que Kevin se soit réjoui de ton départ, lui rappela Blanche.

— Comment êtes-vous parvenue à vous débarrasser de votre fiancé ?

Ainsi, sa tante s'était répandue en confidences, pensa Tisha dont le visage reflétait un grand étonnement.

— Je lui ai tout simplement expliqué que je n'étais

pas faite pour le mariage et que je ne l'aurais jamais choisi si l'idée m'en était venue, répondit-elle posément.

Tisha déguisait un peu la vérité. En effet, en dépit des déclarations fracassantes faites à son père, elle s'était excusée auprès de Kevin et efforcée, dans la mesure du possible, de ne pas le blesser.

— Cela manque de tact, mais c'est efficace, constata Blanche en riant.

— Ainsi vous avez décidé que la vie conjugale ne vous convenait pas, commenta Roarke.

— C'est probablement la seule chose que nous ayons en commun, murmura-t-elle malicieusement. Je ne me trompe pas, vous êtes bien un célibataire endurci ?

— C'est exact. Cependant, je n'irais pas jusqu'à dire « endurci ».

— Cette conversation promet d'être passionnante, intervint Blanche, les yeux étincelants. Je vous propose de retourner au salon où je pourrai jouir, tout à mon aise, du spectacle.

Tisha tourna rageusement les talons et s'apprêta à sortir de la cuisine. Peu soucieuse de discuter avec un homme aussi agressif que Roarke Madison, elle désirait regagner sa chambre. Elle allait franchir la porte lorsqu'une main ferme se posa sur son bras. Tisha frémit au contact de Roarke ; le sang se mit à courir plus vite dans ses veines.

— Vous fuyez avant que la bataille soit commencée ? fit-il d'une voix grave et légèrement traînante.

Elle lui adressa un regard dédaigneux et, dégageant sa main, se dirigea vers le salon. Ainsi, il semblait penser qu'elle abandonnait sans combattre...

Elle se retourna vers lui et fit mine de s'excuser :

— Je crois que j'ai eu tort d'employer l'expression « célibataire endurci ». Cela n'existe pas.

Roarke s'installa dans le même fauteuil que précédemment et, l'espace d'un instant, une lueur d'indulgence passa dans ses yeux.

— Et comment en êtes-vous arrivée à cette conclusion ?

— Eh bien, aucun homme ne peut résister à une femme si celle-ci décide d'exercer son emprise sur lui, déclara Tisha. La Bible nous en fournit de multiples exemples : Samson et Dalila, David et Bethsabée, Esther et Assuérus. Une femme parvient toujours à faire plier le genou à un homme.

Un sourire satisfait releva les coins de sa bouche, et elle demanda :

— Etes-vous d'accord avec moi, Monsieur Madison ?

Les paupières mi-closes, il se garda bien d'approuver mais l'invita à poursuivre.

— Continuez, je vous en prie. Votre point de vue est très intéressant.

— C'est l'évidence même. Quand un homme fait sa demande en mariage, c'est lui qui pose un genou à terre...

Elle donnait l'impression de jouer au chat et à la souris ; il y avait comme une sorte de ronronnement d'aise dans sa voix. Subrepticement, Blanche jeta un regard fugitif en direction de Roarke avant de dissimuler un sourire derrière son verre de thé glacé.

— C'est une marque de respect, répondit-il. Mais nous n'inclinons jamais la tête.

— Nous veillons à ce que vous gardiez un peu de votre fierté, fit Tisha, doucereuse. Après tout, si nous recherchions une soumission complète, nous achèterions un animal domestique...

— C'est très généreux de votre part, remarqua-t-il en étouffant un petit rire. C'est amusant d'observer comment vous parvenez à vous convaincre qu'en épousant un homme, vous lui faites une faveur. Alors que, manifestement, tous les avantages sont de son côté.

— Et si vous précisiez votre pensée, fit-elle d'un ton froid et sarcastique.

— Certes, il nous faut nourrir notre femme, la vêtir, la loger et, à l'occasion, lui donner un peu d'argent de poche... Mais, en échange, nous disposons d'une ménagère, d'une lingère, d'une cuisinière, d'une couturière, d'une mère pour nos enfants, d'une gouvernante et d'une partenaire pour la nuit. En outre, une fois marié, nous payons moins d'impôts... Le mariage ne présente pas que des inconvénients, conclut-il, l'air faussement sérieux.

— De tous les...! s'écria Tisha, incapable de trouver les mots pour exprimer sa colère et sa rancœur.

— Je crois qu'il faut regarder les choses en face, avec logique et réalisme, déclara Roarke avec un sourire narquois. Voilà des faits que vous ne pouvez nier.

— Vous êtes impossible!

Tisha se dressa sur ses jambes, littéralement furieuse.

— C'est vous qui avez commencé la discussion, remarqua-t-il en haussant légèrement les épaules. Si vous n'aimez pas la chaleur, éloignez-vous du feu.

— Avec joie! lança-t-elle en quittant le salon.

3

— Que sais-tu de ce Roarke Madison ? demanda sèchement Tisha en quittant un instant des yeux la route qui filait droit devant elle. Il doit se prendre pour un don Juan.

— Ainsi, tu t'intéresses à mon voisin, fit Blanche avec une pointe d'ironie dans la voix. Depuis hier, — et ta sortie fracassante du salon — tu refuses d'entendre prononcer son nom.

Les mains de la jeune fille se crispèrent sur le volant.

— Je ne m'intéresse pas à lui au sens où tu l'entends. Je crois simplement ceci : plus on sait de choses sur son ennemi, même virtuel, mieux cela vaut.

— Tu te fais une idée complètement fausse de Roarke, affirma sa tante. Il n'a rien de l'intraitable bourreau des cœurs que tu dépeins, — pardonne cette expression démodée. C'est un des hommes les plus aimables et les plus prévenants que je connaisse. De surcroît, il est excellent architecte. Je suis prête à t'accorder qu'étant donné son physique et sa situation, il a énormément de succès, mais, je ne me suis jamais mêlée de sa vie privée, ni lui de la mienne.

— Et comment expliques-tu ses propos intolérables sur les femmes ? répliqua Tisha, acerbe.

— Tu l'as provoqué avec tes sarcasmes… Par ailleurs, il a fait preuve d'une certaine bonne humeur. Je dois dire qu'il y avait une part de vérité dans vos remarques, à l'un comme à l'autre.

— Il est comme tous les hommes : les femmes à leurs fourneaux, voilà sa devise.

Elle poussa un soupir de dégoût et s'engagea sur la route nationale.

— Mais cela n'a tout de même rien de dégradant de rester au foyer, rétorqua Blanche avec fermeté. Peu de femmes voudraient abandonner ce rôle, magnifique, d'épouse et de mère pour un autre.

— Et c'est toi qui parles ainsi ! s'exclama Tisha, surprise. Je n'arrive pas à le croire.

— Que veux-tu dire exactement ?

— Tu ne t'es jamais mariée. Ta réussite professionnelle est remarquable. Tu ne dois rien à personne. En somme, tu es un exemple pour chaque femme libérée.

— Sais-tu pourquoi je ne me suis jamais mariée, Tisha ? demanda soudain Blanche.

— Parce que tu n'en as jamais ressenti le besoin, je suppose.

— Détrompe-toi. Par deux fois, j'y ai songé sérieusement.

Blanche soutint le regard intrigué de sa nièce.

— Mais j'étais suffisamment intelligente pour prendre conscience de ce qu'il faut bien appeler mon égoïsme. Un mari, une famille, tout cela implique des responsabilités ; eh bien, je les ai refusées. Je n'ai aucun regret, et si l'on me donnait une nouvelle chance, j'agirais de même. Tu vois, Tisha, ce genre d'attitude n'a rien à voir avec le fait d'être un homme ou une femme.

— Mais qu'entends-tu prouver ? Que tu es l'exception qui confirme la règle ? fit Tisha d'une voix posée où toute trace de cynisme avait disparu.

— Je veux simplement dire que peu de gens peuvent s'engager ainsi à fond dans leur métier.

— Et moi, le pourrais-je ?

— Est-ce que tu vis pour peindre ?

Une lueur passa furtivement dans les yeux de Blanche, comme une traînée de feu.

— L'art est-il ton seul et unique but ? insista-t-elle.

Cette question embarrassa Tisha. Savait-elle où était son « seul et unique » but ? Elle ne le pensait pas. Sa tante possédait un talent incomparable, Tisha l'admettait volontiers. Si elle-même ne l'avait pas, elle n'obtiendrait jamais ce plein accomplissement, cette réalisation de soi, que connaissait Blanche.

Un peu hésitante, elle répondit avec une grande franchise :

— Pour moi, la peinture est essentiellement une distraction. Et je voudrais en faire un moyen de subsistance.

— Une distraction parfaitement compatible avec la vie de famille.

— Voilà que tu parles comme mon père, à présent. Tu vas bientôt chercher à me marier.

— Seulement avec l'homme dont tu serais amoureuse, souligna Blanche.

— Si tant est qu'un tel homme existe ! ajouta Tisha en éclatant de rire. Ce serait terrible si je ne devais rencontrer que des Roarke Madison.

— Je n'éliminerais pas Roarke d'office. Le fait que tu ne sois pas tombée à ses pieds a certainement dû piquer sa curiosité ; et puis il ne t'est pas indifférent...

Tisha plissa le nez avec dédain.

— Il a le don de me mettre hors de moi.

— Si tu es agressive, c'est peut-être une réaction d'auto-défense. Il est attirant, et tu te méfies de lui.

— Je ne veux pas d'un homme qui soit mon seigneur

et maître ! s'exclama la jeune fille en redressant le menton.

— Crois-tu que tu serais heureuse avec un homme faible et effacé ? Une main de fer dans un gant de velours, voilà probablement le compromis idéal...

— Blanche, tu es aussi entêtée que mon père.

Elle secoua la tête d'un air résigné en fixant la mèche blanche de sa tante et demanda :

— As-tu vraiment l'intention de me jeter dans ses bras ?

— Il habite juste à côté de chez moi, et j'aimerais autant que vous soyez amis. Pour la paix du voisinage... suggéra Blanche, l'œil pétillant.

— Je te promets de me tenir tranquille.

— C'est un début !

Blanche se tourna vers les buildings serrés les uns contre les autres.

— Laisse-moi là, au coin de la rue. L'établissement de bains se trouve tout près.

Après avoir déposé sa tante, la jeune fille traversa le quartier des affaires pour se rendre chez le garagiste. En arrivant, la première voiture qu'elle vit fut celle, toute blanche, de Roarke Madison. Ses lèvres se pincèrent. Elle se gara et se dirigea vers le bureau. Pénétrant à l'intérieur, elle fut accueillie par ces mots :

— Juste à l'heure !

Appuyé contre le mur, Roarke se redressa lentement.

— Que faites-vous ici ? demanda Tisha.

— Ma voiture a, elle aussi, souffert de l'accident, répondit-il, une lueur amusée dans ses yeux bruns. J'ai dû faire changer un phare. Le mécanicien vient juste de terminer.

— Je vois, dit-elle, l'air sombre.

Un homme, la combinaison couverte de graisse, poussa la porte.

— Salut, Mac! lança Roarke avec chaleur. Voici Mademoiselle Caldwell.

Le mécanicien laissa glisser son regard sur Tisha, avant de se retourner vers Roarke.

— Maintenant, je comprends pourquoi vous lui êtes rentré dedans, remarqua-t-il en lui faisant un léger clin d'œil. Vous avez changé votre manière d'aborder les filles.

Tisha eut soudain les joues en feu; elle fit un effort pour se dominer.

— Voici les clés de ma voiture, dit-elle au dénommé Mac. C'est la Ford bleue.

— Elle sera prête dans deux heures, déclara celui-ci.

Ensuite, s'apprêtant à sortir, il murmura à l'intention de Roarke :

— Vous savez vraiment vous y prendre avec les filles. Elle est plus jolie que la précédente, et plus jeune, aussi.

— Est-ce que vous mettez toujours tout le monde au courant de vos conquêtes? demanda Tisha d'une voix sifflante.

— Vous considérez-vous comme en faisant partie?

Il se pencha vers elle, l'air moqueur, et une mèche de cheveux très blonds retomba sur son front.

— Je n'ai pas ce... déshonneur!

— Auriez-vous préféré que j'avoue nos différents à cet homme? Il n'aurait pas voulu me croire. Peu importe, d'ailleurs; cela fait-il une différence?

Pas la moindre, admit-elle en son for intérieur; elle reconnaissait la pertinence des propos de Roarke.

— Il a laissé entendre que nous avions des relations intimes... Je ne vois vraiment pas pourquoi je me formaliserais... fit Tisha malicieusement.

Elle remarqua que quand il s'efforçait de dissimuler un sourire, sa fossette paraissait légèrement moins creusée.

42

— Pour une femme qui se prétend libérée, ironisa-t-il, je vous trouve franchement vieux jeu.

— Au moins, on ne peut pas m'accuser d'être dévergondée, répliqua-t-elle d'un ton doucereux. Contrairement à vous, je n'ai pas l'habitude de partager mon lit avec n'importe qui...

Le regard que posa Roarke sur elle lui fit l'effet d'une caresse. Un instant, son cœur cessa de battre.

— Nous n'avons pas couché ensemble, remarqua-t-il de sa voix traînante.

Puis il ajouta de façon délibérément provocante :

— Pas encore.

— Oh !... s'exclama Tisha en tapant du pied avec colère.

Elle fit demi-tour et s'élança vers la porte. En deux longues enjambées, Roarke la rattrapa et, la saisissant par le bras, la força à s'arrêter.

— Où allez-vous de ce pas décidé ? demanda-t-il d'une voix enjouée.

— N'importe où, pourvu que vous n'y soyez pas ! lança-t-elle avec hostilité.

— Excusez-moi, mais une nouvelle fois je n'ai pu m'empêcher de gratter l'allumette...

— Je n'accepte pas vos excuses, déclara Tisha, le souffle court et saccadé.

Elle tenta de se dégager.

— Et maintenant, laissez-moi partir !

— Je promets de ne plus vous harceler à l'avenir, annonça-t-il d'un ton enjôleur.

— Votre présence, le simple fait que vous respiriez, m'agacent !

— Je n'irai pas jusqu'à mourir pour vous satisfaire, et vous montrer combien je suis désolé... fit-il en souriant. Et si nous nous accordions une trêve ? après tout nous sommes en terrain neutre.

— Vraiment ? Je ne crois pas qu'il y ait de terrain neutre pour un homme comme vous.

Les yeux étincelants, elle détourna la tête ; ses pieds martelaient nerveusement le sol.

— Quelle occupation aviez-vous prévue en attendant la réparation de votre voiture ?

— Je vais tracer quelques esquisses. Dites, si vous lâchiez enfin mon bras ?

Il hocha la tête.

— Vous êtes une artiste, c'est vrai. Tout comme votre tante.

— Je ne me comparerais pas à Blanche. Elle a beaucoup de talent ; pour moi, la peinture est un passe-temps.

— Je pensais que vous étiez un génie naissant, plaisanta Roarke. Vous en avez le tempérament... Mais, ces esquisses, vous comptez bien aller les faire quelque part ?

— Je vais certainement trouver un taxi ou un bus.

— Prenez votre matériel et tout ce dont vous avez besoin, je vous emmène, dit-il avec un sourire légèrement narquois.

Il ne semblait pas envisager un refus. Tisha ressentit une sorte de fourmillement.

— Et si j'accepte, me laisserez-vous seule, ensuite ? demanda-t-elle.

Roarke libéra son bras ; ses yeux marrons pétillèrent.

— Je verrai...

— Dans ce cas, je veux bien que vous me conduisiez. On peut toujours espérer, n'est-ce pas ?

Quelques minutes plus tard, Tisha prenait place dans la voiture. Elle se serra contre la portière : apparemment indifférent, Roarke mit le moteur en marche et sortit du garage. La circulation était très fluide.

— Connaissez-vous bien Hot Springs ?

— J'y suis déjà venue, répondit la jeune fille d'un ton détaché en rejetant une mèche folle derrière son épaule.

— Cela ne me dit pas grand-chose, conclut-il. Vous avez toujours vécu à Little Rock, n'est-ce pas ?

— Oui, dit-elle entre ses dents. Et pendant les vacances, nous voyagions surtout, mon père et moi, dans le sud et dans l'ouest.

— Donc vous ignorez beaucoup de choses au sujet de Hot Springs ? insista Roarke.

— Je sais que c'est notamment une station thermale, et qu'il y a des sources chaudes...

Tisha jeta un coup d'œil par la vitre et aperçut le Parc Arlington ; celui-ci jouxtait le grand établissement de bains de la ville.

— Vous n'avez qu'à me déposer ici.

Au lieu de s'arrêter au coin de la rue, Roarke engagea la voiture sur une place de parking. Tisha n'eut pas le temps de rassembler ses affaires et de partir : Roarke, après avoir mis quelques pièces dans le parcmètre, l'attendait sur le trottoir.

— Je vous remercie de m'avoir amenée ici, monsieur Madison, déclara-t-elle, sachant pertinemment qu'elle ne se débarrasserait pas de lui si facilement.

Une lueur inquiétante éclaira le regard sombre de l'homme.

— En tant que citoyen de Hot Springs, je croirais manquer à tous mes devoirs si je ne vous parlais pas, même brièvement de l'histoire de cette ville. Une histoire passionnante et riche, d'ailleurs.

— Vous n'accepterez pas un refus, n'est-ce pas ?

— Je ne pense pas, remarqua-t-il en souriant, que vous auriez une bien haute opinion de moi si je le faisais.

Cette réponse surprit Tisha ; elle avait le sentiment que Roarke touchait une vérité. Elle se souvenait des propos de Blanche disant qu'elle ne respecterait jamais

45

un homme « faible et effacé ». Cependant, paradoxalement, elle ne supportait pas d'être dominée...

— Je déteste que les gens m'imposent ce qu'ils
croient être bon pour moi, fit-elle froidement.

Le feu passa au rouge ; Roarke, prenant Tisha par le
bras, lui fit traverser la rue.

— Les Indiens appelaient cet endroit la Vallée des
Vapeurs. Le sol en était sacré. Ici, toutes les tribus se
rassemblaient pacifiquement. On venait de tous côtés
baigner ses plaies dans les sources et trouver un remède
à ses maladies. Nous sommes vraiment sur ce terrain
neutre dont je vous parlais, tout à l'heure... Je propose
une trêve, qu'en dites-vous ?

Un sourire détendit les lèvres de Tisha.

— Je n'ai pas le choix !... murmura-t-elle. Si je refuse
de vous accepter pour guide, vous n'en tiendrez pas
compte.

Elle fit une pause puis, en soupirant, déclara :

— Passez-moi le calumet de la paix.

— Je n'en ai pas. Mais est-ce qu'une poignée de main
suffira ?

Une sensation de bien-être l'envahit au contact ferme
et chaud de la main de Roarke. Il lui adressa un sourire
lumineux, ensorcelant. Ce fut comme un éblouissement.
Elle se laissa entraîner à sa suite.

— Pour commencer, nous allons marcher le long de
la promenade, annonça-t-il de sa voix grave et mélo-
dieuse. Il s'en dégage une atmosphère qui permettra
d'évoquer plus facilement le passé de notre ville.

Ils empruntèrent la grande allée pavée et se dirigèrent, d'un pas paisible, vers la montagne qui s'élevait en
plein cœur de la ville. Ses pentes étaient couvertes de
forêts.

— Vous devez tout me dire sur Hot Springs, ordonna
gaiement Tisha.

— Tous les Indiens connaissaient ces sources, et les

histoires évoquant leurs propriétés curatives se trans-
mettaient de tribu à tribu.

Roarke se pliait à la volonté de Tisha avec une
complaisance un peu moqueuse.

— On pense, poursuivit-il, que ce sont ces récits qui
amenèrent le navigateur Ponce de Leon à s'intéresser à
ces eaux. Il espérait trouver la Fontaine de Jouvence ;
mais il ne parvint jamais jusqu'ici. Le premier Européen
à avoir vu la Vallée des Vapeurs était un chercheur d'or
espagnol, Hernando de Soto. Il fut guidé à travers le
pays par les Indiens.

Ils arrivèrent près d'un énorme rocher, et Roarke
s'arrêta, imité par Tisha.

— Une plaque apposée sur ce rocher commémore
l'arrivée d'Hernando de Soto en 1541, dit-il.

Ils le contournèrent, puis escaladèrent les marches
creusées sur le flanc de la colline. Parvenus en haut, ils
découvrirent une nouvelle allée, abritée par de grands
arbres, bordée de bancs et de tables.

— Un autre explorateur, Cavelier de La Salle, vint ici
en 1682 et plaça ce territoire sous la souveraineté
française. Si vous vous rappelez votre histoire de
l'Amérique du Nord, il fut ensuite cédé à l'Espagne et
revint, une nouvelle fois, à la France après le traité de
Madrid de 1801. Un peu plus tard, Napoléon le vendit à
la jeune république des Etats-Unis, avec la Louisiane.
Le président Jefferson, qui est à l'origine de la transac-
tion, envoya ici deux savants pour étudier ces sources
chaudes qui dévalaient de la montagne.

— Vous avez dit que les Indiens appelaient cet
endroit la Vallée des Vapeurs, intervint Tisha. Mais
pourquoi ne voit-on plus ces « vapeurs » aujourd'hui ?

— Toutes les sources — il y en a quarante-sept — ont
été canalisées, à l'exception de deux, et aboutissent à un
vaste réservoir souterrain. Celui-ci redistribue l'eau vers

les différents établissements de bains de la ville, expliqua Roarke.

Il prit Tisha par le coude et lui fit descendre quelques marches.

— Voici les sources qui restent à l'air libre, fit-il en désignant, nichés entre les rochers, deux trous d'eau claire et légèrement fumante.

Dans ce décor de verdure et de montagnes, l'atmosphère était particulièrement paisible. Un peu plus loin, s'alignaient les établissements de bains. L'espace d'un instant, Tisha plongea les doigts dans la source chaude.

— La température de l'eau est d'environ quarante-huit degrés, au moment où elle jaillit du flanc de la montagne, déclara Roarke en souriant.

— Mais comment explique-t-on cette température étonnante ?

— Il y a plusieurs théories, mais aucune ne s'est révélée vraiment convaincante. On pense généralement que cette chaleur est due à une émanation de radium.

— C'est assez fascinant, n'est-ce pas ?

— Cela me fait plaisir de vous voir l'admettre, remarqua-t-il en plongeant son regard dans les prunelles vert océan.

Une ombre passa sur le visage de Tisha qui, soucieuse de changer de sujet, s'empressa de demander :

— Que savez-vous encore ?

— L'histoire de Hot Springs remplirait un livre. Je l'ai seulement esquissée. Pendant la guerre de Sécession, c'est dans cette ville que fut provisoirement installé le siège de l'état-major du gouvernement de l'Arkansas. Ici, également, s'arrêtait la fameuse ligne de chemin de fer Diamond Jo. N'insistons pas sur le fait qu'Al Capone aimait à y séjourner...

Roarke lui tendit la main.

— Venez, marchons un peu, dit-il.

Sans hésiter, Tisha prit sa main puis, tout aussi

résolument, la lâcha. Ils rebroussèrent chemin et regagnèrent la promenade au pied de la montagne. Tout était calme. Un écureuil, à petits sauts folâtres, s'approcha d'eux et s'assit sur ses pattes de derrière.

— Je crois qu'il mendie un peu de nourriture, souffla Roarke.

— La prochaine fois, je penserai à en apporter, promit Tisha.

L'écureuil les suivit un petit moment; puis, voyant qu'on ne lui accordait pas l'aumône, il fit demi-tour prestement et disparut bientôt.

Ils passèrent devant deux hommes, âgés et de belle allure, qui jouaient aux dames, installés à une table de pierre.

— Et si nous nous arrêtions un moment ? demanda Roarke en désignant un banc au bord de l'allée.

Tisha s'assit en silence, après avoir déposé son matériel de dessin sur une table toute proche. Elle se sentait merveilleusement bien. Le feuillage épais étouffait les bruits de la rue, en contrebas; les arbres commençaient à revêtir leurs parures d'automne. Roarke cueillit un bouton d'or avec lequel il joua un instant. Puis il se tourna vers Tisha et la regarda intensément, en silence.

— Je me demande si vous aimez les hommes ? remarqua-t-il enfin, l'air songeur.

Une petite ride creusa le front de Tisha comme si elle cherchait à suivre le cours des pensées de Roarke. Il esquissa un sourire; la confusion se lisait sur le visage de la jeune fille.

— Nous allons vérifier, murmura-t-il.

Il prit le menton de Tisha, le releva lentement, puis approcha le bouton d'or de sa gorge. Une tache jaune apparut sur la peau laiteuse.

— Mmm... l'expérience est tout à fait concluante !

Se souvenant de ce jeu d'enfant, Tisha, les yeux

rieurs, croisa le regard de Roarke. Nullement intimidée, elle s'exclama d'un ton légèrement ironique :

— Voyons ce que cela donne avec vous !

Elle poussa malicieusement la main de Roarke sous son propre menton. Mais avant que la fleur n'ait pu se refléter sur sa gorge, il bloqua le bras de la jeune fille.

— Cela ne marche pas avec les hommes de plus de trente ans, fit-il en souriant.

Elle s'aperçut soudain que leurs visages étaient très proches ; les yeux de Roarke s'attardaient sur sa bouche.

— Trop de barbe, ajouta-t-il.

Un peu haletante, Tisha s'efforça de maîtriser sa respiration et, retirant sa main, se recula.

— De toute façon, dit-elle avec désinvolture, je sais déjà que vous êtes très attiré par les femmes.

— Et comment ?... demanda-t-il, le sourire un peu moqueur.

Tisha haussa légèrement les épaules comme pour signifier que ses sources devaient rester secrètes. Gardant le silence, elle posa un pied sur le banc et s'appuya sur son genou. Elle se mit à étudier le paysage.

— Quel calme, commenta-t-elle.

— Vous arrivez même à faire semblant d'apprécier ma compagnie, lança Roarke, l'air caustique.

— Je parviens très bien à être agréable avec n'importe qui si le milieu dans lequel je me trouve m'offre une quelconque distraction.

Elle se sentait terriblement vulnérable et éprouvait le besoin de se protéger par des remarques cinglantes.

— Vous êtes à nouveau agressive... Auriez-vous peur de devenir une femme ?

Le front de Roarke s'était plissé en une expression tout à la fois railleuse et amusée.

— C'est absurde ! Je suis déjà une femme...

50

Les yeux soudainement agrandis, elle rejeta la tête en arrière avec une légère arrogance.

— Prouvez-le ! déclara-t-il, une nuance de défi dans le regard. Dînons ensemble vendredi soir.

— Pourquoi ? fit-elle, sur la défensive.

— Qu'en dites-vous ? insista-t-il.

— Je crois que vous souffrez dans votre orgueil, répondit-elle d'un ton froid où perçait le dédain, parce que vous avez été incapable de me séduire. Je ne suis pas tombée dans vos bras aussi facilement que vos compagnes habituelles. Sans doute m'imaginez-vous, après un souper aux chandelles, succombant à votre charme...

— Cette idée ne manque pas d'attrait, reconnut-il.

Tisha s'empara, non sans brusquerie, de son sac et de son matériel à dessin.

— Oublions cette invitation, Monsieur Madison.

— Appelez-moi Roarke, suggéra-t-il.

Calme en apparence, il vibrait de colère contenue.

— Si nous sortons ensemble vendredi, reprit-il, il vaudrait mieux que nous nous appelions par nos prénoms.

Elle le foudroya du regard.

— N'ai-je pas été suffisamment claire ? Je refuse votre invitation.

— Pourquoi ? Après vos déclarations fracassantes sur la supériorité de votre sexe, vous ne me ferez pas croire que vous vous sentez incapable de résister à mes avances ?

Il fronça les sourcils, narquois.

— A moins que vous ne pensiez pas un mot de ce flot d'affirmations absurdes...

— J'en suis convaincue, au contraire ! s'écria-t-elle, furieuse.

— Dans ce cas, je ne comprends pas pourquoi ma proposition vous fait si peur ?

— Sachez, que je ne suis nullement effrayée !

— Parfait. Je viendrai vous chercher à sept heures.

Roarke se leva avec une nonchalance presque paresseuse et, l'air moqueur, adressa un petit salut à Tisha. Il s'éloigna. Lorsque cette dernière, excédée, trouva enfin une réponse appropriée, il était trop loin pour pouvoir l'entendre.

4

Durant trois jours, Tisha s'évertua à trouver une raison valable pour annuler son rendez-vous avec Roarke Madison. Elle s'était bien emparée une demi-douzaine de fois du téléphone, mais uniquement pour le reposer l'instant d'après ; elle n'avait pu se résoudre à appeler Roarke sachant qu'il balaierait ses faibles excuses. Quant à Blanche, trop heureuse — croyait-elle — que Tisha veuille bien se réconcilier avec son voisin, elle ne lui fut d'aucun secours.

Le jour fatidique, Roarke se présenta chez Blanche à sept heures précises ; Tisha était en retard. Délibérément. Une demi-heure plus tard, elle pénétra dans le salon, vêtue d'une sorte de caftan bleu paon et or qui mettait en valeur la couleur de ses yeux. Ceux-ci étincelaient, pleins de feu. Elle avait ramassé, au prix d'une longue patience, ses longs cheveux en un chignon savamment élaboré. Ils brillaient doucement à la lumière du salon ; mais seul le soleil pouvait les faire flamboyer.

Elle paraissait à la fois plus âgée et plus riche d'expérience.

— Je commençais à croire que vous me feriez faux bond.

Roarke se leva. Il portait un costume sombre, impeccablement coupé. Sans se presser, il s'approcha de Tisha et promena sur elle un regard aigu, insolent.

— Comment avez-vous pu penser une chose pareille ? fit-elle d'une voix sucrée.

Il frôla du doigt la perle de jade qui ornait l'oreille de la jeune fille. La voix un peu voilée, il murmura :

— Vous paraissez très à l'aise. Mais cette petite veine qui bat le long de votre cou semble indiquer le contraire...

Et plus fort, à l'intention de Blanche, il ajouta :

— Nous ferions mieux d'y aller.

Tisha se pencha vers sa tante et l'embrassa sur la joue.

— Nous ne rentrerons pas tard, promit-elle.

— Amusez-vous bien, dit Blanche.

Puis adressant un clin d'œil à sa nièce, elle glissa dans un souffle :

— Tu as droit à vingt minutes, souviens-toi... Passé ce délai, j'allumerai la lumière du portail.

Le feu aux joues, Tisha jeta un coup d'œil éloquent en direction de Roarke.

— Ce soir, je n'en aurai pas besoin.

Elle savait qu'une fois de retour, ils ne s'attarderaient pas en adieux tendres et langoureux.

— De quoi parliez-vous exactement ? demanda Roarke, quelques instants plus tard, en ouvrant la portière de sa voiture.

— Ce n'est qu'une plaisanterie entre Blanche et moi, fit-elle en évitant de croiser les yeux brillants de Roarke.

Le soleil couchant embrasait l'horizon d'ambre et d'or. Tisha feignit de le contempler, tandis que Roarke s'installait au volant.

— Vous ne pensez tout de même pas que nous renoncerons à nous souhaiter bonne nuit, tout à l'heure ?

Surprise, Tisha se tourna vers lui.

54

— Les portails illuminés par des parents impatients, j'en ai eu ma part... reprit-il, l'air moqueur.

— Et pas de coups de fusil ? lança-t-elle, sarcastique.

— Non, pas de coups de fusil.

Il mit le moteur en marche et remonta l'allée en marche arrière.

— J'espère que notre table ne sera pas occupée quand nous arriverons, dit Tisha, un peu pincée.

— J'ai pris mes précautions, répondit Roarke. La réservation est, en fait, prévue pour huit heures.

Il s'efforça de dissimuler un sourire ; de petits plis se creusèrent aux coins de ses lèvres.

— Au cas où vous auriez mis beaucoup de temps pour vous habiller...

— Vous êtes probablement plus habitué à voir les femmes se dévêtir pour vous, n'est-ce pas ?

— Vous pourriez appeler cela la Loi de Madison, déclara-t-il, amusé par les tentatives répétées de Tisha pour le dénigrer, le diminuer. Ce qui est porté, doit être ôté.

— Et vous n'avez même pas jugé utile de me dire où nous allions, annonça-t-elle. Il est difficile de choisir ce que l'on doit se mettre, quand on ne sait pas si l'on va dîner dans un snack ou un libre-service.

— Manifestement, vous avez dû vous rendre compte que je n'étais pas aussi désargenté que vos cavaliers habituels.

Il laissa glisser son regard sur sa tenue sophistiquée, et remarqua :

— J'espère que cet imposant chignon ne va pas vous donner mal à la tête.

— Seul l'individu qui m'accompagne pourrait produire cet effet, répliqua-t-elle d'un ton cassant. Et je ne pense pas que cela me déséquilibre, ou me fasse trébucher...

— Cette pensée ne m'a jamais traversé l'esprit, fit-il sèchement.

Tisha s'enfonça dans son siège et garda le silence durant tout le voyage. Roarke Madison se préparait à rompre des lances avec elle, sans se soucier le moins du monde de son état de femme.

La voiture s'arrêta sur le parking qui jouxtait le restaurant. Tisha s'empressa de descendre avant que Roarke ait eu le temps de lui ouvrir la portière. Il la rejoignit. Une expression de défi se lisait sur le visage de la jeune fille ; les paupières de Roarke se rétrécirent. S'il décidait de la traiter sans ménagement, elle rendrait coup pour coup.

— Ainsi, vous refusez la courtoisie, la galanterie, déclara-t-il. A votre aise !

L'air ironique, il inclina la tête ; les lumières de la rue s'accrochèrent dans ses cheveux blondis par le soleil.

Hautaine, Tisha se dirigea vers le restaurant en tirant sur sa robe longue. Malheureusement, ses hauts talons ne lui permettaient pas de marcher vite, et Roarke la rattrapa aisément. Elle affichait une moue dédaigneuse qui le fit sourire. Ils parvinrent bientôt au seuil de l'établissement. Roarke pénétra le premier à l'intérieur mais ne daigna pas retenir la porte qui faillit claquer au visage de Tisha. Ses joues s'empourprèrent ; elle était furieuse.

Roarke lui adressa un regard rapide qu'elle n'eut aucune peine à déchiffrer : « A quoi bon vous plaindre, vous l'avez voulu ! » Elle n'eut pas le temps de répondre, car le maître d'hôtel s'était avancé pour les conduire à leur table.

Dès qu'ils furent assis, un serveur s'approcha. « Un martini dry » commanda Roarke. Il ne se soucia pas de ce que désirait Tisha, l'obligeant à répondre à la question du serveur.

— Un daïquiri, fit-elle entre ses dents.

Ses yeux lançaient des éclairs ; abrité derrière la carte, Roarke consultait paisiblement le menu. A son tour, d'un geste rageur, Tisha s'empara de la sienne. Ses mains tremblaient convulsivement, et elle parvenait à peine à lire. Soudain, dans un brutal accès de colère, elle jeta la carte sur la table.

— Cela ne peut plus durer s'écria-t-elle d'une voix sifflante, tandis que Roarke, les sourcils haussés, levait le regard sur elle. Vous feriez mieux de me ramener à la maison. Je ne supporterai pas ceci plus longtemps !

Elle repoussa sa chaise et se leva.

— Asseyez-vous ! ordonna-t-il.

Puis, d'un ton plus sec, il répéta :

— Asseyez-vous, ou je vais vous y forcer !

Tisha ne douta pas un instant de sa détermination. A contrecœur, elle se laissa glisser sur son siège. Un sourire se dessina lentement sur le visage bronzé de Roarke ; ses yeux marron brillaient. Elle évita soigneusement de les croiser.

— Vous n'êtes qu'un goujat ! murmura-t-elle, glaciale.

Avec son attitude souple et nonchalante, il lui donnait l'impression d'être un félin, luisant et doré, s'apprêtant à bondir sur sa proie.

— N'espérez pas me voir agir en gentleman, tant que vous n'accepterez pas, vous-même, de vous conduire en femme du monde, répondit-il. Ou nous continuons à nous insulter copieusement, ou nous prenons plaisir à cette soirée ; cela dépend de vous...

— Votre présence, vos airs dominateurs, ne me procureront jamais le moindre plaisir, lança-t-elle.

L'espace d'un instant, un pli sévère apparut sur la bouche de Roarke. Puis il sourit, narquois.

— Et l'autre jour, durant notre petite trêve, n'avons-nous pas passé un moment agréable ensemble ? Pouvez-vous le nier ?

Le serveur apporta les cocktails, ce qui donna à Tisha

le temps de la réflexion. Elle tenait son verre étroitement serré entre ses doigts et feignait de l'observer attentivement.

— En effet, par certains côtés, cette promenade, l'autre après-midi, fut agréable, admit-elle. Vous êtes un guide intéressant... vous m'avez fourni quantité d'informations. Un peu plus tard, vous avez essayé votre charme sur moi ; dès lors, la trêve était rompue.

Une lueur amusée éclaira le regard de Roarke.

— Pourquoi alors avoir accepté mon invitation à dîner ?

— Je l'ai refusée, lui rappela Tisha d'un ton aigre. Il a fallu que vous jouiez de moi pour obtenir mon accord.

— Vous voulez dire qu'une femme intelligente comme vous s'est laissé manœuvrer par un homme ?

Elle se retint pour ne pas gifler ce visage aux yeux pleins d'une trompeuse innocence.

— Vous avez essayé de me convaincre que les hommes ont des muscles mais pas de cervelle... Il vous faudrait peut-être réviser vos opinions ?

— Je n'ai jamais prétendu qu'ils manquaient d'habileté, répliqua Tisha.

— Quand vous adressez un compliment, fit Roarke en étouffant un petit rire, faites-vous toujours en sorte que cela ait l'air d'une critique ?

— Vous avez même remarqué cela ? Quelle finesse ! s'exclama-t-elle avec dérision.

— Et si nous commandions ? demanda-t-il en reprenant la carte. Je crois que vous devriez aimer le chichekebab. Ces plats orientaux très relevés, cela doit convenir à votre tempérament de feu...

— Et vous que prendrez-vous ? De la perche de rivière ?

Il ignora le ton doucereux de Tisha.

— En fait, je pense que je vais prendre le chichekebab, annonça-t-il. Cela me convient tout à fait.

Le repas fut assez désastreux. Tisha qui, finalement, avait commandé un steak, le trouva franchement insipide en dépit de sa tendreté. Elle y prêta peu d'attention : elle aurait pu tout aussi bien mâcher du cuir. Elle ne pensait qu'à une chose : en finir au plus vite avec ce dîner et rentrer chez sa tante... Elle refusa de prendre du café, mais fut obligée de rester à table le temps que Roarke dégustât le sien.

— Pouvons-nous partir, maintenant ? demanda Tisha dès qu'il eut reposé sa tasse.

— Je crois que oui, répondit-il en souriant.

Il adressa un petit signe au serveur pour se faire apporter la note. Tisha dut encore attendre un moment avant que l'on rapportât la monnaie. Enfin, Roarke se leva. Brûlant d'impatience, elle se dirigea à la hâte vers la sortie ; mais il posa la main sur son bras et la força à ralentir le pas.

— Il y a une petite salle de danse, juste à côté. Nous pourrions y passer un moment...

Tisha sentit soudain sa nuque se raidir ; ses yeux étincelaient de colère.

— Et si j'insistais pour être raccompagnée immédiatement ?

— Mais vous ne le ferez pas, j'espère...

L'air arrogant, il semblait très sûr de lui.

— Vous ne voudriez pas me priver de votre précieuse compagnie... Ou bien aurais-je dû dire... inconstante ?

— Réticente me paraîtrait plus exact... remarqua-t-elle sèchement.

Néanmoins, elle accepta de rebrousser chemin et se laissa entraîner le long du couloir qui menait au dancing.

Les lumières étaient tamisées ; des couples se pressaient autour de petites tables sur lesquelles luisaient des bougies ; installé sur une estrade, un orchestre de jazz jouait des airs tendres. Roarke guida Tisha, qui s'accommodait mal de l'obscurité relative de la pièce, vers une table ronde.

— On danse ? fit-il après avoir commandé les rafraîchissements.

Les nerfs tendus à l'extrême, prêts à craquer, Tisha lui jeta un regard noir.

— Nous sommes bien venus pour cela, n'est-ce pas ?

— J'ai l'impression que vous allez me marcher sur les pieds, murmura Roarke, comme ils se dirigeaient vers la piste.

Tisha dédaigna de répondre qu'il n'avait rien à craindre à ce sujet. Il n'était nullement dans ses intentions de se serrer contre lui.

Roarke la prit par la main et enlaça fermement sa taille. Elle se laissa conduire docilement, mais évita soigneusement de croiser son regard ; sa main était glacée, alors que celle de Roarke lui parut presque anormalement chaude. Il accentua son étreinte, l'attirant contre sa poitrine.

— Détendez-vous, dit-il doucement.

Elle se sentait littéralement prise dans un étau. Par bonheur, la musique s'arrêta, et Roarke fut contraint de la lâcher.

De retour à leur table, il ne fit aucun effort pour alimenter la conversation. Renversé dans son fauteuil, il se contentait d'observer tranquillement Tisha. Celle-ci, prenant son verre, ne fit que l'effleurer des lèvres — cela ne lui disait vraiment rien. A présent, l'orchestre jouait un air très rythmé. Elle essaya bien de prendre plaisir à l'écouter, mais le silence grandissant de Roarke était par trop gênant.

Elle posa les yeux sur son visage sombre.

— Je ne pense pas que vous ayez encore envie de danser avec moi, maintenant, déclara-t-elle. Si nous partions ?

— Nous devrions rester, à mon avis.

60

— Pourquoi ? explosa-t-elle. Nous n'allons tout de même pas nous attarder ici, à nous regarder dans le blanc des yeux !

Une musique plus douce que la précédente — un blues — s'éleva de l'estrade. Roarke se leva et, tirant Tisha par la main, lui fit quitter sa place. Il l'entraîna vers la piste. Puis, sans lui laisser le temps de réagir, il la serra étroitement contre lui, l'emprisonnant entre ses bras. Elle sentait le contact ferme de ses cuisses, plaquées contre les siennes. Les mains appuyées sur sa poitrine, elle tenta vainement de se dégager.

Le regard hostile, elle serra les poings ; cependant, elle résista à l'envie de le frapper. Baissant les yeux, elle fixa sa chemise d'un blanc éclatant. Elle était décidée à ne pas faire d'esclandre. Les mains de Roarke glissèrent, en une caresse brûlante, le long de son dos, puis sur ses hanches. Tisha frémit ; une sorte de feu parcourut ses veines.

Lorsque Roarke se montra un peu trop audacieux, elle ne put s'empêcher de murmurer avec irritation :

— Cela suffit !

Avec autorité, elle ramena les mains de Roarke sur sa taille. Elle comprit immédiatement qu'elle avait fait une erreur. Libéré des poings qui se pressaient contre sa poitrine, Roarke put resserrer son étreinte.

— Je n'aime pas danser de cette manière, dit-elle, la bouche contre le col de sa veste.

— Et pourquoi donc ? murmura-t-il en frôlant son oreille.

— C'est mon côté « vieux jeu », répondit-elle, sarcastique. Je n'aime pas m'exhiber en public.

Il la tenait étroitement collée à lui ; les jambes de Tisha commençaient à faiblir.

— Ne soyez pas gênée, fit-il à mi-voix. Personne ne nous regarde.

Elle sentait le souffle chaud de Roarke contre son cou.

— Je m'en moque! s'exclama-t-elle en rejetant la tête en arrière pour échapper à cette caresse.

— Un baiser vous ferait-il peur? lança-t-il, narquois.

Son regard nonchalant, filtrant à travers ses paupières à demi fermées, ne quittait pas la bouche de Tisha.

— Une fille s'attend toujours à être embrassée. Simplement, elle ignore où et quand... rétorqua Tisha.

— Il nous faut répondre à ces deux questions...

Ses lèvres se posèrent sur celles de Tisha. Il la regarda, à nouveau : les joues de la jeune fille s'étaient vivement colorées.

— Est-ce là ce que vous pouvez faire de mieux? demanda-t-elle, un peu haletante.

Les yeux rieurs, Roarke se tourna vers les autres danseurs.

— Etant donné les circonstances, oui, répondit-il sans hausser le ton.

— Je n'avais pas remarqué que la discrétion comptait parmi vos vertus, constata ironiquement Tisha.

— Et moi qui pensais n'en avoir aucune à vos yeux, répliqua-t-il, le sourcil moqueur.

Au moment précis où l'orchestre cessa de jouer, elle se libéra de l'étreinte de Roarke qui, d'ailleurs, ne fit rien pour l'en empêcher. Lorsqu'il rejoignit Tisha à la table, elle venait juste de s'asseoir. Cependant, il resta debout puis toucha son épaule. Elle eut un vif mouvement de recul, ce qui fit naître un sourire sur les lèvres de Roarke.

— Ne vouliez-vous pas partir? fit-il d'un ton railleur.

Elle lui jeta un regard furieux et se leva brusquement. Mais, ne tenant pas à le voir changer d'avis, elle s'abstint de riposter.

Tel un disque d'argent, la lune brillait sur le velours sombre du ciel parsemé d'étoiles scintillantes. Les yeux tournés vers la vitre, Tisha choisit résolument d'ignorer l'homme qui se tenait au volant. Sa peau la brûlait encore au souvenir de l'étreinte sensuelle de Roarke... Et cette sensation la troublait profondément.

— Ainsi, à présent, vous me mettez en quarantaine ? demanda Roarke. J'ai du mal à vous imaginer à court d'insultes...

— Epargnez-moi vos sarcasmes, répondit-elle en s'efforçant de se dominer. Je suis fatiguée. Je ne souhaite qu'une chose : rentrer chez moi.

— Cette soirée a été plutôt éprouvante pour les nerfs, admit-il.

— Et singulièrement ennuyeuse, ne put s'empêcher de souligner Tisha.

Un petit rire étouffé lui parvint.

— Et moi qui me suis figuré un instant que vous n'aviez plus la force de réagir...

— Eh bien, révisez votre jugement !...

— Vous me chercherez querelle jusqu'à votre dernier souffle, murmura-t-il doucement.

— Vous ne résisterez pas tout ce temps-là.

Le long de la route, de grands sapins se dessinaient au clair de lune. Tisha repéra dans la lumière des phares le virage qui menait à la maison de Blanche.

— Comme le dit la chanson, fit Roarke avec ce même petit rire, quand un sujet irrésistible rencontre un sujet impassible, imperturbable, l'un des deux, fatalement, doit céder.

— Je suppose que vous vous classez parmi les « sujets irrésistibles » lança-t-elle ironiquement. Laissez-moi vous dire une chose, Monsieur Madison, le genre dominateur, autoritaire, me soulève le cœur.

— Blanche m'a dit que votre père est un homme solide et indépendant. Est-ce vrai ? demanda-t-il, changeant brusquement de sujet.

— Oui, et à cet égard je lui ressemble. Le faux éclat, le clinquant ne m'impressionnent guère.

— D'après ce que l'on dit, les filles possédant ce type de caractère épousent généralement des hommes qui ressemblent à leurs pères...

Un frémissement parcourut Tisha. Elle avait déjà entendu parler de cette théorie. Enfant, puis adolescente, elle rêvait d'épouser un homme au caractère affirmé et indomptable comme celui de son père. C'était, avant qu'il continue, comme ces dernières années, à régenter sa vie en despote.

— Cela doit se vérifier de temps en temps, j'imagine. Mais pas avec moi, affirma-t-elle.

— Pourquoi?

— L'homme avec qui je me marierai devra me respecter en tant qu'individualité, — et non pas me considérer comme sa propriété, ni me dicter ma conduite comme si j'étais incapable de le faire moi-même. Il faudra, non seulement, qu'il m'aime, mais me fasse confiance et... et...

Elle agita la main comme si elle cherchait l'expression qui compléterait et définirait le plus justement sa pensée.

— ... Et n'allume pas la lumière du portail, acheva Roarke.

— Oui, acquiesça-t-elle en reposant sa main sur ses genoux. En ce sens qu'il ne devra pas éprouver le besoin de contrôler tous mes faits et gestes.

— Votre père traitait-il ainsi votre mère?

Tisha se tenait immobile. Autant qu'elle puisse s'en souvenir, les querelles entre ses parents n'étaient jamais suscitées par un sentiment de jalousie ou de méfiance. Ils s'aimaient d'un amour véritable et profond.

— Non, il n'a jamais douté d'elle, répondit-elle calmement.

— Votre mère devait être une femme très passive?

— Maman ? fit Tisha en riant. Détrompez-vous. Elle était aussi entêtée que Papa. Ils se lançaient dans des discussions très vives, souvent acharnées, mais sans esprit de revanche, ni méchanceté. Je me souviens très bien qu'au beau milieu d'une controverse, l'un ou l'autre éclatait de rire, et tout était aussitôt oublié. Ils formaient un couple exceptionnel.

— Quand avez-vous perdu votre mère ?

— A l'âge de quatorze ans.

— Votre père a dû ressentir cette perte très douloureusement ?

— Oui, bien sûr. Il errait dans la maison comme une âme en peine, souligna Tisha. Dans les années qui suivirent la mort de Maman, nous fûmes très proches, mon père et moi. Mais ces trois dernières années...

Elle frissonna en repensant aux nombreuses altercations qui les avaient opposés.

— Il est impossible à vivre, conclut-elle.

— Votre père, en homme d'expérience, n'ignore pas qu'une jolie fille comme vous attire les hommes... C'est pourquoi il veut, à tout prix, vous marier, pour vous éviter de succomber à certaines tentations.

Tisha, qui songeait aux jours anciens, fut brusquement tirée de sa rêverie par le compliment de Roarke, ainsi que par sa dernière remarque. Une lumière brillait sur la façade de la maison de Blanche, et elle réalisa soudain que la voiture était arrêtée sur l'allée de gravier. Elle se reprocha de s'être laissé aller, fût-ce quelques instants, à se confier. Elle ne tenait aucunement à ce que Roarke apprenne quoi que ce soit sur son passé.

— Une chose est certaine, déclara-t-elle en posant la main sur la poignée de la portière. Mon père n'aurait jamais permis que je sorte avec un... loup tel que vous.

Avec une rapidité surprenante, Roarke referma ses doigts sur le poignet de Tisha.

— Pas si vite !

Son visage sombre frôlait presque celui de la jeune fille ; elle recula vivement sur son siège.

— Un loup qui se respecte ne laisserait jamais s'échapper une femme séduisante comme vous sans lui arracher un baiser d'adieu.

Le cœur de Tisha se mit à battre la chamade.

— J'aurais dû deviner que vous étiez un de ces types répugnants qui ne peuvent — sans contrepartie — inviter une jeune fille au restaurant, fit-elle d'un ton cinglant.

Mais elle se sentait la bouche étrangement sèche.

— Vous avez raison, reconnut-il paisiblement.

Il prit le menton de Tisha et le releva doucement ; puis sa bouche s'attarda sur la sienne en un baiser voluptueux. Elle eut d'autant plus de mal à résister que, paradoxalement, il se penchait sur ses lèvres avec beaucoup de douceur. Ce fut comme une brûlure. Roarke se redressa, et Tisha, frissonnante, exhala un long soupir. Elle s'était efforcée de ne pas perdre le contrôle d'elle-même ; elle détendit ses membres contractés, se laissant aller contre le dossier du siège.

— Puis-je partir, maintenant ?

Tisha vit un sourire se dessiner sur le visage de Roarke. Pour toute réponse, celui-ci se pencha dans sa direction et, abaissant la poignée, ouvrit la portière. La lumière du plafonnier jaillit soudain, éclairant ses cheveux d'un blond doré. Tisha se glissa prestement dehors et claqua la portière.

Les rendez-vous qu'accordaient Tisha se terminaient fréquemment par des baisers. Récemment, elle avait côtoyé des garçons déjà expérimentés ; mais aucun n'était parvenu à lui donner cette sensation d'un feu embrasant tout son être. Et il fallait précisément que ce fût Roarke...

Cette constatation la plongeait dans une profonde

perplexité. Jusqu'à ce soir, elle avait cru pouvoir, en toutes circonstances, garder la tête froide, et voilà que ses sens la trahissaient, et qu'elle s'éveillait au plaisir sensuel...

5

Tisha changea son pinceau de main et s'assouplit les
doigts ; ils étaient très contractés. Ses épaules s'affaissè-
rent tandis qu'elle jetait un regard critique sur sa toile.
Rien ne lui réussissait ce jour-là. Elle poussa un profond
soupir.

— Des problèmes ? demanda Blanche.

— Oui, le manque de talent, déclara Tisha, l'air
dégoûté.

Blanche posa son propre pinceau, se frotta les mains
avec un chiffon, et rejoignit sa nièce dans un coin de
l'atelier. Fouillant dans sa blouse, elle en sortit une
cigarette et l'alluma.

— Que se passe-t-il ?

— Ce bouquet est raté, fit Tisha. On dirait que ces
violettes sont alignées au cordeau... C'était la même
chose, hier, avec les narcisses.

Résignée, elle haussa légèrement les épaules.

— Tout ce que je fais aujourd'hui est franchement
mauvais. Je vois bien où sont mes erreurs, mais je
n'arrive pas à les corriger.

— Il ne suffit pas de constater tes erreurs, Tish, sinon
tu vas finir par t'enfermer dans ce travail négatif. Tâche
de découvrir ce qu'il y a de bon dans ta peinture
travaille dans cette voie, et tu pourras progresser..

— Blanche, tu es une perle !

Le visage sombre de Tisha s'éclaira, et elle ébaucha un sourire.

— Tes conseils sont précieux. Quel est ton secret ?

— Du bon sens et de l'expérience, répondit Blanche en rejetant sa mèche claire en arrière. Mais l'expérience me dit aussi que tu devrais te détendre un peu. Tu es beaucoup trop nerveuse. Parfois, la tension stimule la créativité mais, dans ton cas, elle la rend plus difficile.

— Que me suggères-tu ?

— D'aller prendre l'air.

Blanche se tourna vers les fenêtres, scruta le ciel et ajouta :

— De toute façon, c'est fichu pour la lumière.

A son tour, Tisha jeta un coup d'œil dehors. En ce début d'après-midi, des nuages gris masquaient le soleil. Les cimes des sapins se balançaient mollement. Cependant, le temps n'était pas menaçant. De retour à son chevalet, Blanche nettoyait ses pinceaux.

Un nouveau soupir s'échappa des lèvres de Tisha. Tous ses efforts se révélaient vains ; ses toiles n'étaient pas suffisamment bonnes pour pouvoir être vendues. Tout cela parce qu'un visage dansait continuellement devant ses yeux, un visage où luisait un regard de velours sombre. Elle aurait mieux fait de ne pas sortir avec lui la veille ; elle aurait préféré passer pour lâche, plutôt que de constater l'émoi sensuel qu'il éveillait en elle.

— Tisha. Tisha, tu m'écoutes ?

Elle sursauta et réalisa soudain que Blanche lui parlait.

— Excuse-moi, je rêvassais. Que disais-tu ?

— Je te demandais simplement si tu avais déjà été au Cratère des Diamants, répéta sa tante, le front plissé par la curiosité.

— Non. J'ai failli y aller une fois, avec des camarades. Pourquoi ?

— Nous pourrions y faire un tour cet après-midi.

— Chercher des diamants ? fit Tisha avec un petit rire.

Elle parvenait difficilement à imaginer sa tante en train de creuser dans le sol boueux.

— Pourquoi pas ? souligna Blanche, un sourire entendu sur les lèvres. Mais j'avais l'intention de prendre quelques croquis. En guise de loisirs.

— Je suis prête à accepter n'importe quelle suggestion...

Et, intérieurement, elle ajouta :

— Pourvu que cela détourne mes pensées de Roarke Madison.

— Il nous arrive à tous d'être dans un mauvais jour, de temps en temps, constata Blanche. Mais ne te laisse pas abattre.

Elle avait perçu comme du découragement dans la voix de sa nièce, et elle voulait la réconforter. Cependant, Tisha pouvait difficilement confirmer à Blanche la justesse de son intuition. Celle-ci appréciait beaucoup Roarke et n'aurait jamais compris l'aversion profonde de Tisha pour tout ce qui le concernait. En outre, elle n'avait pas envie de raconter sa soirée avec Roarke et se trouvait, de ce fait, dans l'impossibilité d'exprimer à sa tante sa gratitude pour sa remarquable discrétion — Blanche n'avait pas posé la moindre question à ce sujet.

— A ta place, lança Blanche à Tisha qui quittait l'atelier, je mettrais des vêtements peu salissants. Tu pourrais, toi aussi, te décider à gratter la terre...

Voilà qui me surprendrait, pensa Tisha ; néanmoins, elle alla enfiler un blue-jean délavé et un sweater échancré vert olive. Puis, après avoir noué ses cheveux sur la nuque, elle prit une veste dans le placard et sortit sur le seuil de la maison.

Un peu plus tard, en plein cœur de l'après-midi, Blanche roulait sur la route de graviers ; celle-ci faisait une entaille au flanc de la montagne, parmi les sapins. La brise glissait avec un doux murmure entre les arbres ; et, en cet été indien, le soleil perçait timidement à travers un nuage, éclairant le sol de sa lumière dorée. Le calme était profond, intense. Tisha pouvait presque imaginer qu'en dehors d'elle et de Blanche il n'y avait personne à des kilomètres et des kilomètres. La vue des automobiles, alignées par rangées sur un vaste parking, lui causa une certaine surprise.

Après avoir payé l'entrée, elles suivirent le sentier qui s'enfonçait sur l'étendue, entièrement dégagée et comme labourée, du Parc national. A la différence des autres visiteurs, chargés de râteaux, de pelles et de tamis, Tisha et Blanche n'étaient armées que de crayons et de papier à dessin. Dispersées de chaque côté de la colline, des familles entières passaient consciencieusement au crible la terre brune, à la recherche de diamants.

Plusieurs millions d'années auparavant, des éruptions volcaniques s'étaient produites dans toute cette zone, alors submergée par les eaux. Sous l'effet d'une pression considérable, la lave en fusion se transforma, au contact de cette eau, en divers cristaux, dont des diamants.

Tisha se sentit toute ragaillardie. Sous ses pieds, se trouvait l'unique gisement diamantifère du territoire des Etats-Unis. La découverte de ces pierres précieuses avait occasionné, à l'aube du XXe siècle, un déferlement qui rappela la fameuse ruée vers l'or en Californie.

Assise par terre, le dos contre un tronc d'arbre, Blanche faisait des croquis. Prise par l'atmosphère singulière qui se dégageait du Cratère aux Diamants, Tisha éprouva le besoin de bouger. Elle se dirigea vers une tranchée dans laquelle, plongé jusqu'à la taille, s'affairait un vieil homme aux cheveux gris.

— La chance est-elle avec vous ? fit Tisha.

— Non ! répondit-il en rejetant sur le côté la terre qu'il venait d'examiner avec attention.

Il sortit son mouchoir et s'épongea le front.

— Remarquez, ajouta-t-il, cela irait peut-être mieux si j'avais une idée plus nette de ce que je cherche !

— J'aurais probablement les mêmes problèmes que vous ! constata Tisha en riant.

— Quand on trouve un diamant, d'après ce que les gens disent, il est impossible de s'y tromper...

Il s'adossa contre la tranchée, visiblement heureux de pouvoir souffler un peu.

— Malheureusement dans tout gisement, les diamants sont à l'état brut. Ils peuvent être marrons, jaunes, roses, mais jamais blancs et brillants. Ici, celui qui découvre une pierre précieuse, la garde. Vous comprendrez qu'on résiste difficilement à la tentation de chercher... Il y a même des diamants noirs dans cette coulée. On doit bien finir par trouver.

— Cela doit dépendre de Dame Fortune, dit-elle en souriant. Si elle consent à se pencher sur votre épaule...

— Presque tous les gens qui creusent ici sont des amateurs, la chance intervient donc pour une grande part, admit-il en secouant la tête.

— J'espère qu'elle vous sourira.

Haussant les épaules, il reprit sa pelle :

— Au fond, le plaisir réside dans le fait de chercher.

Tisha s'éloigna et longea ce qui ressemblait à un profond sillon. Se surprenant à scruter le sol, elle esquissa un sourire ; décidément, la fièvre du diamant était contagieuse... Un visage, où se lisait un profond amour de la vie, exerçait sur elle le même attrait ; il s'imposait à elle sans qu'il soit possible de l'oublier. Un grand rocher lui parut confortable, elle s'y installa et ouvrit son carton à dessin.

Sa première tentative se révéla infructueuse ; elle

n'avait pu saisir qu'imparfaitement, ses traits. Elle prit une nouvelle feuille. Cette fois-ci, elle ne montra pas la moindre hésitation, et sa main ferme et assurée courut sur le papier. Bientôt, une sorte d'exaltation s'empara de Tisha. Elle avait le sentiment d'être en train d'exécuter le meilleur de tous ses dessins...

— C'est excellent, Tisha! s'exclama Blanche qui venait, silencieusement, de la rejoindre. C'est tout à fait Roarke. Tu l'as très bien campé.

Tisha releva son crayon et examina son dessin. En effet, c'était bien le regard, nonchalant et narquois, de Roarke Madison; ses lèvres ébauchaient même un sourire. Réalisant brusquement ce qu'elle avait fait, Tisha sentit son estomac se contracter douloureusement.

Sans prêter attention au silence de sa nièce, Blanche analysait le croquis de manière élogieuse :

— Ce sourire à peine esquissé indique bien son sens de l'humour... Tu as parfaitement rendu la ligne volontaire de la mâchoire... Toutefois, je m'étonne de voir à quel point tu as saisi cette expression de sûreté de soi qui le caractérise.

— Il est si arrogant!

Tisha referma violemment son carton à dessin, et se remit debout. Une lueur amusée éclaira les yeux de Blanche.

— Il te met dans tous tes états, n'est-ce pas?

Les joues de sa nièce s'empourprèrent.

— Il me prend à rebrousse-poil, reconnut-elle. Et vice versa.

— Allons, ne sois pas si amère, fit Blanche d'un ton apaisant. Si tu ne supportes pas Roarke, quoi que tu fasses, tu n'y pourras rien changer.

Les yeux verts de Tisha s'assombrirent; elle paraissait troublée. Elle se tourna vers sa tante, hésita un moment puis, poussée par un irrésistible besoin de se confier, déclara :

— Roarke Madison réunit en lui tous les traits de caractère que je déteste chez un homme — il est insolent, raisonneur, dominateur. Cependant...

Elle avala péniblement sa salive :

— Avec lui et, pour la première fois de ma vie, je me sens pleinement femme.

Il y eut un silence riche de sous-entendus. Blanche observait avec attention le visage embarrassé de Tisha.

— Veux-tu dire que tu le trouves, physiquement, attirant ?

— Cela a l'air idiot, je sais, fit Tisha, les doigts crispés sur son carton à dessin. Je ne l'aime pas, et je n'ai aucune estime pour lui. Il considère les femmes comme une distraction... A ses yeux, ce sont des jouets qu'il rejette quand ils ont cessé de l'amuser.

— C'est un jugement plutôt sévère, murmura Blanche.

— Vraiment ? rétorqua Tisha d'un ton cinglant. Il appartient à ce type d'hommes qui ne cherchent que la conquête. S'il use de son charme, c'est pour mieux vous réduire à sa merci.

— Tu le connais à peine. Ne crois-tu pas que tu le condamnes un peu vite ?

Tisha s'apprêtait à répliquer, mais Blanche ne lui en laissa pas le temps et ajouta aussitôt — sans se départir de son calme :

— Je ne dis pas que tu te trompes sur lui. Simplement les circonstances, plutôt fâcheuses, de votre première rencontre ont déterminé ton attitude envers lui.

— Peu importe la manière dont nous avons fait connaissance, déclara sa nièce. Tel qu'il est, cet homme me hérisse...

— C'est peut-être vrai.

Blanche continuait d'observer Tisha d'un air pensif.

— Mais ce qui te contrarie le plus, c'est d'être sensible à son charme, c'est bien cela ?

Tisha acquiesça d'un signe de tête ; elle avait l'impression de se trahir elle-même.

— J'aimerais pouvoir te conseiller, soupira Blanche en posant tendrement son bras sur ses épaules. Mais toi seule, peux résoudre ce genre de problème. Que dirais-tu de nous en aller, dès maintenant ? Nous pourrions nous arrêter sur la route pour dîner. Je connais un petit restaurant où l'on sert du poisson-chat et du maïs grillé, une merveille...

— Cela me convient parfaitement, fit Tisha en essayant d'employer un ton aussi chaleureux que sa tante.

Elles rebroussèrent chemin, regagnant le parking.

— J'ai bien peur qu'il ne se mette à pleuvoir, constata Blanche en levant les yeux vers le ciel couvert et menaçant. Je ne sais pas ce que je déteste le plus : conduire la nuit, ou conduire sous la pluie.

— Est-il bien utile d'aller dans ce restaurant ? remarqua Tisha. Nous ferons un peu de cuisine à la maison, ce n'est pas bien gênant.

— Nous avons besoin de sortir, insista Blanche. Et puis ce soir la pluie aura cessé certainement. Nous disposons tout de même de pas mal de temps avant la tombée de la nuit.

Dans un premier temps, les prévisions de Blanche semblèrent se confirmer. Mais, quand elles sortirent du restaurant, ce fut sous des trombes d'eau. Tisha proposa alors à sa tante de prendre le volant, ce qu'elle accepta volontiers.

Bien avant le coucher du soleil, il faisait presque nuit noire tant les nuages étaient bas et lourds. Une pluie torrentielle s'écrasait contre le pare-brise ; les essuie-glaces se révélèrent vite insuffisants, et c'est avec un grand soulagement que Tisha atteignit enfin la petite route sinueuse qui menait à la maison.

— J'aimerais bien m'arrêter à la boîte aux lettres, dit Blanche. Tu crois que c'est possible ?

— Bien sûr, répondit Tisha. Le revêtement est bon, l'on ne risque pas de s'embourber. Je vais m'approcher suffisamment près, tu n'auras qu'à baisser la vitre et tendre le bras.

— J'attends du courrier... quelques lettres importantes... murmura sa tante.

Les phares effleuraient le bas-côté de la route ; apercevant la boîte, Tisha ralentit puis stoppa la voiture.

Le vent, soufflant par rafales, s'engouffra par la vitre baissée, tandis que Blanche prenait à la hâte son courrier. Elle s'empressa de remonter la glace avant d'être complètement trempée.

— Rentrons vite ! s'exclama-t-elle en secouant son bras dégoulinant de pluie. Il doit faire si bon chez nous.

Le tonnerre se mit à gronder de façon lugubre, tandis que Tisha faisait les manœuvres pour pénétrer dans le garage ; elle se félicita d'avoir laissé les portes grandes ouvertes — même si c'était tenter les cambrioleurs.

— Je vais aller me changer, dit Blanche, une fois qu'elles eurent pénétré dans la maison. Et si tu préparais un peu de café ?

Elle ôta son corsage ruisselant, et laissa échapper un petit rire.

— C'est incroyable comme on peut se faire mouiller en un rien de temps...

La nuque raide, les épaules endolories par ce long moment passé à deviner la route à travers un véritable écran de pluie, Tisha versait de l'eau dans la cafetière.

— Dépêche-toi ! lança-t-elle à sa tante. Sinon, je vais boire tout le café.

Un quart d'heure plus tard, Tisha se blottissait dans un fauteuil du salon, une tasse juste à portée de la main ;

l'averse orageuse battait la vitre, tandis que des éclairs déchiraient l'obscurité. Installée sur le divan, Blanche examinait un paquet.

— Mais, il y a une erreur ! s'exclama-t-elle soudain. Ce stupide facteur s'est encore trompé !

Elle poussa un soupir d'impatience.

— Ce paquet est destiné à Roarke...

— Tu pourras le lui donner la prochaine fois que tu le verras, remarqua Tisha.

Blanche se mordit la lèvre ; elle paraissait anxieuse.

— C'est vrai, admit-elle. Cependant, quelque chose me tracasse : l'autre soir — il venait te chercher — Roarke m'a confié qu'il devait rendre des plans pour lundi, mais des documents lui manquaient pour terminer ce travail. Il espérait les recevoir aujourd'hui. C'est probablement cela. Et voilà que le facteur le met dans ma boîte...

— Tu n'en es pas responsable, fit Tisha, que les problèmes de Roarke laissaient indifférente.

— Bien sûr, mais il a absolument besoin de cette documentation. Voudrais-tu aller la lui porter, il... Non, ça ne fait rien.

Blanche secoua vigoureusement la tête.

— J'irai moi-même, annonça-t-elle.

— C'est ridicule. Tu ne vas tout de même pas te précipiter chez lui par un temps pareil !

— Il comptait sur cet envoi, insista sa tante. Il m'est déjà arriver de travailler dans de mauvaises conditions, et je me mets à sa place.

— Rien ne t'arrêtera, n'est-ce pas ? Pas même l'orage, et Dieu sait que tu n'aimes pas conduire sous la pluie...

— Je sais que tu n'apprécies pas Roarke, fit Blanche en prenant son imperméable, et cependant, c'est un voisin et un ami, Tisha. Il ferait la même chose pour moi, sans se soucier de ton opinion de lui.

La bouche de Tisha prit un pli amer ; elle comprit qu'elle ne parviendrait pas à la faire changer d'avis. La nuit s'avançait, il pleuvait à torrents ; décemment, Tisha ne pouvait laisser Blanche prendre le volant. Celle-ci avait beau être une femme libérée de bien des contraintes, elle supportait difficilement ce genre d'exercice.

— Puisque je n'arrive pas à te faire entendre raison, Blanche, dit-elle, le visage sombre, j'irai moi-même porter ce paquet.

— Je n'en vois pas la nécessité.

— Moi, si ! affirma Tisha. Range donc ton imperméable et donne-moi un parapluie.

— Je vais t'accompagner.

— A quoi bon sortir toutes les deux dans cette tourmente ? Attends-moi ici, et... garde-moi un peu de café.

— Tu es sûre que cela ne t'ennuie pas ? s'inquiéta Blanche.

Agacée, Tisha poussa un soupir et enfila sa veste.

— Pas du tout. Où est le paquet ?

— Ici.

Blanche lui mit entre les mains.

— Tish ?

— Oui, fit Tisha s'arrêtant un instant avant de se diriger vers le garage qui communiquait avec la cuisine.

— La maison de Roarke mérite un détour. Cela vaut vraiment la peine de supporter sa compagnie quelques minutes, juste pour la voir.

Blanche, ne laissant pas à sa nièce le temps de répondre, ajouta :

— Sois prudente sur la route.

En son for intérieur, Tisha pensa que la maison devrait être tout à fait extraordinaire pour qu'elle s'y attardât. Elle ne voulait absolument pas rester seule avec Roarke ; son attitude vis-à-vis de lui était par trop contradictoire. Il lui paraissait préférable de l'éviter tant qu'elle serait dans l'incapacité de se dominer, ou de comprendre ses réactions, d'analyser ses sentiments.

Roulant quasiment au pas, Tisha parcourut sous une pluie diluvienne les quelques centaines de mètres qui séparaient les deux maisons. In extrémis, elle repéra l'allée bordée de sapins qui menait chez Roarke. Des rigoles impressionnantes creusaient le gravier. Elle eut l'impression que la voiture s'enfonçait entre deux murailles vertes, toujours plus serrées.

La maison était située beaucoup plus loin de la route que Tisha ne l'avait imaginé. Tendue, elle serra le volant avec force ; ses articulations blanchirent. Enfin, elle aperçut une lumière comme un fanal au milieu de la tempête. Elle se gara et coupa le contact. Usant de patience et d'ingéniosité, elle parvint à ouvrir le parapluie et, sous des trombes d'eau, pataugeant dans les flaques, se précipita vers l'entrée.

Nerveusement, elle sonna. Le fracas du tonnerre couvrait tous les bruits ; à l'intérieur, l'avait-on entendue ? Le vent rabattait l'averse sur ses jambes. N'y tenant plus, elle s'empara du gros heurtoir de cuivre et se mit à cogner à grands coups. Quelques secondes plus tard, la porte s'ouvrit. Roarke, vêtu d'un pull-over beige et d'un pantalon marron, se tenait dans l'embrasure.

— Tisha ? fit-il, visiblement surpris. Je croyais que seuls les canards sortaient, par un temps pareil...

— Couin-couin, lança-t-elle, sarcastique en s'efforçant de dégager le paquet qu'elle abritait sous sa veste.

— Vous n'êtes jamais à court de répliques, n'est-ce pas ? remarqua Roarke en riant.

Il la prit par l'épaule et l'attira à l'intérieur de la maison.

— Je ne m'attendais pas à votre visite, je l'avoue. Ainsi vous affrontez l'orage, la nuit tombée, juste pour venir me retrouver ! Je ne pensais pas vous manquer à ce point...

Roarke l'avait débarrassée de son parapluie qu'il avait posé contre le mur ; une petite mare se forma immédiatement dans l'entrée.

— Je ne suis pas venue vous voir ! rétorqua-t-elle, irritée.

Elle lui tendit la documentation qu'elle avait réussi à extraire de ses poches.

— Ceci a été déposé par erreur dans la boîte aux lettres de Blanche. Elle a pensé que vous pouviez en avoir besoin, et je me suis dépêchée de vous l'apporter.

Tisha aurait préféré s'en retourner aussitôt, mais la porte était déjà fermée. Après avoir pris le paquet, Roarke l'examina brièvement et le jeta sur une table.

— Je vous remercie de vous être dérangée ; effectivement, j'attendais cet envoi.

Il esquissa un sourire.

— Blanche s'en est probablement souvenue, ajouta-t-il. Donnez-moi votre veste.

Comme il s'avançait pour l'aider à s'en défaire, elle recula vivement.

— Je n'ai pas l'intention de rester. Je repars à l'instant.

— Mettez-vous au moins près du feu, le temps de vous sécher. Votre tante peut bien attendre quelques minutes.

— Non, merci, répéta-t-elle avec froideur. Le temps de remonter dans la voiture, je serais de nouveau mouillée.

— Je viens de préparer du chocolat. Vous n'en voulez pas une tasse, vraiment ?

— Non merci.

Il posa la main sur son bras.

— J'insiste. Vous venez de me rendre un grand service ; en échange, je vous offre l'hospitalité. Il ne serait pas très aimable de refuser.

— Je ne...

Tisha n'acheva pas sa phrase, sentant que ses efforts seraient vains.

— D'accord. J'en accepte une tasse. Et ensuite, je m'en vais.

— Promis ! reprit-il en secouant légèrement la tête. Le salon est à droite ; il y a du feu dans la cheminée. Installez-vous pendant que je vais chercher le chocolat.

Elle hésita quelques instants, puis avança lentement dans la direction qu'il lui avait indiquée. Des panneaux de noyer recouvraient les murs de l'entrée ; le sol était carrelé de blanc ; un peu plus loin, s'étendait un tapis, épais et moelleux.

Après avoir descendu trois marches, elle pénétra dans le salon. De grandes tentures claires ornaient les murs, alternant avec des boiseries de noyer semblables à celles du hall. L'épaisse moquette était d'un bleu vif et profond.

Des flammes dansaient, dorées, dans la cheminée de pierre blanche. Tisha s'avança au milieu de la pièce, fascinée — malgré elle — par la perfection de cet intérieur. Le blanc du canapé de velours était réhaussé par des coussins du même bleu soutenu que la moquette. Deux confortables fauteuils, flanqués de petites tables, étaient disposés de chaque côté de la cheminée.

Elle s'attendait à une maison aménagée avec un goût un peu prétentieux ; mais certainement pas à cette atmosphère, tout à la fois intime et accueillante. Le raffinement et le souci d'élégance étaient suggérés et non étalés avec ostentation.

— Enlevez donc votre veste et asseyez-vous.

Tisha sursauta et, se retournant, aperçut Roarke qui se tenait en haut des marches.

— Si vous désirez plus de lumière, vous pouvez allumer la lampe près de la cheminée, dit-il, une tasse dans chaque main.

Il régnait dans le salon une obscurité relative, due à l'éclairage indirect. Tisha, qui tenait à éviter toute familiarité, alla avec une nonchalance voulue suivre son conseil.

— Cette pièce est très belle, commenta-t-elle d'une voix dépourvue de chaleur.

— Merci, répondit-il en inclinant légèrement la tête.

Tisha ne décela pas la moindre ironie dans ce geste.

— Vous pouvez tourner le fauteuil vers le feu, si vous voulez.

— Cela ira très bien ainsi, assura-t-elle, un peu nerveuse, en s'asseyant au bord du siège.

— Je vais vous débarrasser de votre veste, fit Roarke en déposant le chocolat chaud sur la table.

Non sans réticence, elle la lui tendit, tout humide. Il alla la porter dans l'entrée avant de revenir s'installer sur le canapé. Sa présence apportait de la vie à la pièce. Evitant de croiser son regard, Tisha se mit à fixer la mousse à la surface de sa tasse fumante.

Le silence devenait pesant. Le crépitement du feu ajoutait encore à la tension qui régnait. Tisha avala nerveusement sa salive. Il lui fallait absolument dire quelque chose... n'importe quoi.

— Blanche m'avait parlé de votre maison en termes élogieux, mais je ne m'attendais pas à cela...

— A quoi donc, alors ? demanda-t-il ironiquement.

Elle le regarda, essayant de percer l'expression indéchiffrable de ses yeux. Il était moins détendu qu'il ne voulait le paraître.

— Je l'imaginais plus... spectaculaire, déclara-t-elle, tentant d'adopter une attitude parfaitement indifférente.

— Prétentieuse et de mauvais goût ? fit-il, un sourcil levé.

— Je n'y ai pas suffisamment réfléchi... Sinon, je me serais attendue à trouver un divan transformable en lit par la magie de la technique, tandis qu'une musique douce envahit la pièce et que les lumières baissent…

— Le décor du parfait Don Juan, c'est bien cela ?

— Oui, en quelque sorte.

D'un geste circulaire, Tisha désigna la pièce et poursuivit :

— Ici, c'est beaucoup plus subtil. Cependant, je suis persuadée que le résultat est le même…

— C'est étrange, murmura Roarke. J'ai toujours considéré cette maison tout simplement comme *mon* foyer.

Tisha reconnut mériter le reproche implicite qui perçait dans sa voix. Elle s'était montrée insultante.

Elle s'empressa de finir son chocolat afin de pouvoir partir et, dans sa hâte, se brûla.

— Venez, dit-il d'un ton impérieux. Je vais vous faire visiter les autres pièces.

— Une autre fois, fit aussitôt Tisha, reposant sa tasse et se levant.

— Non, répliqua-t-il avec fermeté.

Il lui barra le passage ; sans aucun doute, il n'hésiterait pas à employer la force pour la retenir.

— Je veux que vous puissiez avoir une impression d'ensemble.

— Puisqu'il le faut… soupira-t-elle.

— Après vous.

Il tendit le bras, indiquant la direction du hall d'entrée faiblement éclairé. La nuque raide, Tisha s'exécuta de mauvaise grâce. Ils parvinrent dans un couloir. Successivement, Roarke ouvrit deux portes. Elles étaient exactement à l'opposé l'une de l'autre. La première donnait sur une salle de bains carrelée de bleu et de vert ; se tournant vers la deuxième, il déclara :

— Ce devait être la chambre d'ami. Mais j'en ai fait mon bureau et ma salle de dessin.

Il alluma la lumière et fit passer Tisha devant lui. Un

bureau et une chaise étaient placés devant un mur entièrement couvert d'étagères ; une table à dessin et un tabouret occupaient un coin. Le reste du mobilier se composait d'un divan de cuir fauve, et d'un fauteuil confortable. Le tissu à carreaux des rideaux mêlait harmonieusement les couleurs rouille et bleu des sièges et de la moquette, contribuant à donner à la pièce un caractère viril et fonctionnel.

Roarke n'attendit pas de commentaire, et conduisit Tisha vers la porte qui se trouvait au fond de l'entrée. Il la fit entrer, mais cette fois-ci, il ne fournit pas la moindre explication. Tisha comprit immédiatement pourquoi : c'était la chambre de Roarke.

La même épaisse moquette bleue tapissait le sol ; un grand lit, recouvert d'un tissu vieil or, attirait immédiatement l'œil : il dominait la pièce par ses dimensions et son brillant. Tisha éprouva quelques difficultés à avaler sa salive ; elle ne parvenait pas à détacher son regard de ce lit qui exerçait sur elle une singulière fascination. Elle devinait, à ses côtés, la présence de Roarke, une présence qui la troublait douloureusement.

— C'est très beau, remarqua-t-elle abruptement.

Puis, comme si elle s'enfuyait, Tisha fit demi-tour ; une fois parvenue au salon, elle ralentit enfin le pas — elle s'y sentait, relativement, plus en sécurité. Elle se tourna vers Roarke ; celui-ci la dévisageait d'un air moqueur, et elle le détesta d'autant plus.

— Je ferais mieux de m'en aller, maintenant, déclara-t-elle.

— Vous n'avez pas encore vu la cuisine, lui rappela-t-il avec un sourire qu'il s'efforçait de dissimuler. Toutes les femmes s'intéressent aux cuisines, n'est-ce pas ?

— En ce cas, montrez-la-moi, fit-elle d'un ton sec.

Ils passèrent à nouveau par le hall d'entrée, puis pénétrèrent dans la cuisine. Elle était spacieuse et pourvue des équipements les plus modernes. La couleur

84

bleue — présente dans chaque pièce — se retrouvait dans les minuscules fleurs du papier des murs.

— Comme je l'ai dit précédemment, vous avez une bien jolie maison, souligna-t-elle d'une voix où perçait l'absence de sincérité.

— Je suis heureux que vous l'aimiez, répondit-il avec le même manque d'enthousiasme.

Roarke retourna dans l'entrée et sortit la veste de Tisha de la penderie.

— Vous remercierez Blanche pour moi, n'est-ce pas ? J'avais vraiment besoin de ces documents pour le week-end.

— Promis, dit Tisha en enfilant sa veste.

Elle reprit le parapluie et, enfin, croisa le regard de Roarke. Il la considérait avec une certaine froideur, mais sans hostilité.

— Et merci pour la visite, ajouta-t-elle.

Il s'approcha et ouvrit la porte, comme s'il avait hâte de se débarrasser d'elle.

— Tout le plaisir a été pour moi, remarqua-t-il, un peu provocant.

Tisha se précipita vers la voiture, plus impatiente de s'en aller que lui de la voir partir. Un éclair illumina le ciel noir.

6

Il pleuvait toujours à torrents, et les flaques d'eau ne cessaient de s'agrandir. En se glissant dans la voiture, Tisha s'aperçut que les phares éclairaient l'allée balayée par le vent et la pluie. Pestant contre elle-même, elle jeta le parapluie à côté d'elle et tourna la clé de contact. Le moteur ne répondit pas.

Elle laissa tomber sa tête sur ses mains crispées au volant. Elle n'avait pas éteint ses lumières, et la batterie était à plat, — ce qui signifiait qu'elle devait demander de l'aide à Roarke. Cette perspective ne la réjouissait pas particulièrement...

Pataugeant dans les mares, Tisha retourna vers la maison et frappa à la porte à grands coups de heurtoir. Celle-ci s'ouvrit presque aussitôt.

— J'ai des ennuis mécaniques, annonça-t-elle à Roarke. Voudriez-vous m'aider à faire démarrer la voiture ?

Il la dévisagea quelques instants.

— Je vais sortir la mienne du garage.

Tisha acquiesça et s'apprêta à faire demi-tour.

— Attendez, fit Roarke. A quoi bon se faire tremper à essayer de la mettre en route, ce soir. Je vais vous ramener chez vous et je m'en occuperai demain matin.

Renonçant à discuter, elle fit oui de la tête.

— J'ai les pieds mouillés. Je vous attends devant le garage, s'empressa-t-elle de dire.

Roarke ouvrait les portes à deux battants, lorsque Tisha parvint près du garage. Elle se mit aussitôt à l'abri, replia le parapluie et monta dans la voiture blanche. Roarke démarra et s'engagea dans l'allée, tandis que la jeune fille se blottissait contre la portière. Un éclair zébra le ciel, immédiatement suivi du grondement du tonnerre.

— Eh bien ? murmura Tisha. Vous allez probablement me faire quelques remarques sur les femmes au volant...

Il lui jeta un bref coup d'œil.

— Pourquoi le ferais-je ? Vous n'avez pas fait exprès de laisser vos phares allumés. C'est un oubli.

— Plutôt fâcheux, marmonna-t-elle.

Cette façon bienveillante, voire magnanime, de l'excuser la mettait en rage.

— L'erreur est humaine, souligna-t-il.

Ces mots furent presque immédiatement suivis d'une exclamation sourde :

— Nom d'un chien !

Tisha se redressa sur son siège. La voiture freina brutalement. Elle fouilla l'obscurité des yeux et distingua, noyé sous la pluie, un grand sapin : il était couché en travers de la route. Et, dans sa chute, il avait entraîné deux arbres plus petits. Ils formaient une barrière impressionnante.

— Pourriez-vous les déplacer ? fit-elle dans un souffle.

— Vous ne parlez pas sérieusement ! Ai-je l'air d'un Hercule ?

Il émit un son qui ressemblait à un rire.

— Et si nous essayions ensemble ? suggéra désespérément Tisha en cherchant la poignée pour ouvrir.

— Inutile d'insister, lança-t-il d'un ton brusque.

Il passa la marche arrière, et recula jusqu'à ce qu'il trouve un endroit propice pour effectuer un demi-tour.

— Où allez-vous ? demanda-t-elle.

— Je retourne à la maison, répondit-il d'un ton sans réplique. Il faudra que vous y passiez la nuit.

— Il n'en est pas question !

— La route est coupée. Nous n'avons pas le choix.

— Oh, si, déclara Tisha, apercevant dans le lointain les lumières de la maison.

— C'est probablement encore une riche idée. Dites toujours...

Il rentra la voiture dans le garage et, coupant le contact, se tourna vers la jeune fille.

— Je vais rentrer à pied ! annonça-t-elle, l'air décidé.

Et, sans lui laisser le temps de réagir, Tisha descendit précipitamment du véhicule ; tout en courant, elle réussit à ouvrir le parapluie, et se rua dehors, sous une pluie battante. Elle entendit claquer une portière, et se hâta d'autant plus ; l'averse lui fouettait le visage.

— Tisha !

Des bruits de pas, dans l'allée couverte de flaques d'eau, se rapprochèrent.

— Tisha, revenez ici !

— Je rentre chez moi ! s'écria-t-elle.

Soudain le parapluie lui fut arraché des mains et elle se sentit prise aux épaules.

— Allons soyez raisonnable ! fit Roarke.

— Non ! s'exclama Tisha en se débattant. Je ne veux pas passer la nuit dans cette maison avec vous !

La pluie ruisselait sur leurs visages, dégoulinait dans leurs cous.

— Ce n'est tout de même pas moi qui ai déposé cet énorme sapin sur la route...

— Nous ne sommes pas bien loin de chez Blanche. Il m'est arrivé de marcher plus longtemps, insista-t-elle vigoureusement.

— Supposez un instant qu'un autre arbre soit abattu par la tempête et qu'il tombe sur vous, ou pire que vous soyiez frappée par la foudre ?

— Je préférerais n'importe quoi à... à... Je vous déteste !

D'un geste brutal, il l'attira contre lui. Le cœur battant, les mains appuyées contre sa veste de daim, Tisha tenta de le repousser.

— Petite sotte ! marmonna-t-il avec une sorte de sauvagerie. Pensez-vous vraiment que je représente pour vous un danger plus grand que cet orage ?

— Roarke, laissez-moi partir, supplia-t-elle d'une voix faible qui se perdit presque dans le tumulte des éléments déchaînés.

— Vous ne dites pas Monsieur Madison ?

Un sourire sarcastique détendit ses lèvres ; son regard, où luisait une flamme sombre et inquiétante, plongeait sur le visage bouleversé de la jeune fille.

Elle sentit son blue-jean, trempé et glacé, lui coller aux jambes ; mais, ce n'était pas le froid qui la faisait frissonner sous l'étreinte de Roarke. En dépit de la bourrasque, des ondes brûlantes lui parcouraient les veines...

Croisant ses yeux étincelants, elle s'apprêtait à répéter plaintivement son nom, lorsqu'il posa la main sur sa joue. Il fit glisser en arrière ses longs cheveux mouillés, puis ses doigts s'attardèrent sur sa nuque. Enfin, il releva légèrement le menton de Tisha et se pencha sur sa bouche.

Elle ne tenta pas de lui résister. Il l'embrassait avec une telle fougue qu'elle s'abandonna peu à peu entre ses bras, frémissante. Avidement, elle se serra contre lui et défit les boutons de sa veste ; elle sentait le cœur de Roarke battre à tout rompre. Tisha finit par l'enlacer avec passion.

Avec un petit gémissement, Roarke enfouit son

visage au creux de son cou ; ses lèvres glissèrent contre sa gorge. Elle se mit à trembler violemment.

— Roarke, murmura-t-elle presque douloureusement en pressant son visage contre le sien.

Soudain, il la repoussa avec une violence qui la stupéfia. Les gouttes de pluie, telles de petites perles, brillaient sur les lèvres encore gonflées de désir de Tisha. Roarke, le regard dur, s'était écarté de la jeune fille, littéralement abasourdie. Brusquement, elle réalisa qu'il l'avait embrassée par esprit de vengeance — il voulait l'humilier après s'être senti lui-même insulté. Ainsi, elle seule, s'était montrée sincèrement passionnée... Des sanglots lui déchirèrent la poitrine. Elle tourna le dos à Roarke et voulut fuir.

— Il n'est pas question que vous partiez ! fit-il en la retenant par le bras.

— Après... après m'avoir traitée ainsi, vous n'espérez tout de même pas me garder ici !

On eût dit un cri d'animal déchirant la nuit.

— Je n'espère rien, répliqua-t-il d'un ton tranchant. Vous ne rentrerez pas chez vous ce soir. Un point c'est tout.

— Plutôt mourir que de rester en votre compagnie !

— Je sais, vous me l'avez déjà fait clairement comprendre une fois. Mais cela ne change rien. Vous êtes trempée... Mieux vaut partir d'ici avant que vous n'attrapiez une pneumonie.

— Non !

Tisha se mit à le frapper sauvagement, lui donnant des coups de pied, essayant de le mordre. Après avoir tenté de l'immobiliser en la saisissant aux poignets, Roarke l'attrapa finalement par la taille et la jeta sur son épaule, comme un vulgaire sac. Elle eut beau l'insulter et se débattre, rien n'y fit. Il ne la déposa par terre qu'une fois parvenu à la maison.

Les poings serrés, Tisha se tenait devant Roarke ; une

sorte de feu semblait consumer ses prunelles d'un vert sombre. Elle allait devoir céder et le savait. Il paraissait aussi calme que s'il venait de sortir de la cuisine ; à cette différence près que ses vêtements étaient ruisselants.

— Vous êtes un mufle !

— Epargnez-moi vos insultes, répliqua-t-il avec froideur, et donnez-moi votre veste.

Elle l'observait, méfiante. Il avança d'un pas, l'air menaçant. Hésitant quelques instants, Tisha finit par l'ôter et la lui lança d'un geste rageur. Son tricot vert olive la moulait étroitement, accentuant la courbe des seins.

— Entrez dans la cuisine, dit-il d'un ton impératif.

Tournant vivement les talons, elle obéit. Elle s'arrêta près de la table, et ses mains se refermèrent sur le dossier d'une chaise. Roarke qui la suivait de près, se dirigea vers un placard d'où il sortit une bouteille et deux verres. La porte menant au garage se trouvait à la gauche de Tisha ; elle s'en approcha insensiblement.

— Je ne vous conseille pas d'essayer ! déclara Roarke d'une voix cassante.

— Essayer quoi ?

Il se retourna vers Tisha. Elle lui adressa un regard innocent. Un pli moqueur se dessina sur la bouche de Roarke.

— Vous n'auriez jamais atteint cette porte. Et ne me dites pas que vous n'en aviez pas l'intention...

Il versa un peu de liquide d'une belle couleur ambrée dans chaque verre. Après avoir vidé le sien, il se leva et lui tendit l'autre.

— Buvez ceci.

Elle le repoussa violemment, renversant son contenu par terre. Roarke contracta les mâchoires.

— On aurait dû vous donner plus souvent la fessée, marmonna-t-il entre ses dents.

— Traitez-vous toujours les femmes avec cette brutalité ? ironisa Tisha.

Les paupières de Roarke se rétrécirent.

— Aimeriez-vous en faire l'expérience ?

Elle pâlit ; en dépit du ton menaçant, elle releva le menton et, hardiment, soutint son regard.

— Si vous approchez, déclara-t-elle, je plante mes ongles dans vos yeux.

— Cela vous plairait, n'est-ce pas ? fit-il, laissant échapper un petit rire.

— Ne m'en croyez-vous pas capable ?

— Je pense que vous essaieriez, admit-il, en reposant le verre, pratiquement vide, sur la table. Mais ne vous inquiétez pas. Je n'ai qu'une idée en tête : enlever au plus vite ces vêtements mouillés. Venez, suivez-moi.

Tisha recula d'un pas.

— Où ?

— Dans ma chambre, répondit-il, l'air sardonique. C'est là que je range mes affaires. Vous devez vous déshabiller, vous aussi.

— Pour ensuite aller dans votre lit ? observa-t-elle ironiquement.

— C'est là que devraient être toutes les petites filles à une heure pareille, répondit-il avec une certaine suffisance.

— Je reste ici ! lança-t-elle, le regard inquiet.

— Voulez-vous que je vous y amène de force ?

— Ce que je veux surtout, c'est que vous cessiez de me rudoyer et de me commander. Laissez-moi seule ! s'écria-t-elle.

— Au lieu de jouer les femmes outragées, voyez plutôt les choses en face. Vous devrez passer cette nuit ici, que vous le vouliez ou non, répliqua Roarke.

Soudain, il la saisit par le bras ; surprise, Tisha essaya bien de réagir, mais elle se trouva vite entraînée hors de la cuisine. La poussant, sans ménagement, Roarke lui fit traverser l'entrée, puis le salon, et enfin le couloir qui menait à sa chambre. Au moment où il ouvrait la porte, elle parvint presque à se dégager ; mais il la saisit par la taille et la propulsa à l'intérieur de la pièce.

Tisha lui fit face comme un animal traqué, puis recula hâtivement vers le mur. Sans lui prêter la moindre attention, Roarke se dirigea d'un pas vif et souple dans la direction opposée.

— La salle de bains est juste à côté ; vous n'avez qu'à ouvrir la porte qui se trouve derrière vous, dit-il d'une voix légèrement traînante.

Il se débarrassa de son pull et de sa chemise avant d'ouvrir un grand placard.

— Une bonne douche vous réchauffera, ajouta-t-il.

— Et vous, qu'allez-vous faire ? demanda prudemment Tisha.

— La même chose que vous, répondit-il, les yeux moqueurs. Mais dans la chambre d'ami.

Roarke prit un pantalon et se retourna vers la jeune fille. Son torse nu mettait en évidence sa musculature solide. Il s'approcha, et Tisha ne put s'empêcher de frissonner ; mais il passa près d'elle sans s'arrêter, désignant une série de tiroirs.

— Les serviettes sont ici, dit-il.

Ensuite, il sortit un pyjama de soie grenat et le lui tendit :

— C'est trop grand, mais au moins c'est sec.

Elle voulut lui rendre.

— C'est à vous de le porter, remarqua-t-elle.

— Je dors toujours sans pyjama. Et maintenant, allez prendre votre douche.

La colère empourpra les joues de Tisha.

— Je ne veux ni prendre de douche, ni porter vos vêtements, ni, — surtout — aller me coucher !

Roarke se figea, les mâchoires serrées.

— Soyons clair. Vous allez dans la salle de bains, et

vous vous douchez, sinon c'est moi qui vous déshabille et vous met sous l'eau. Ensuite — à moins que vous teniez à vous promener une serviette enroulée autour de la taille — vous passerez ce pyjama. Enfin, vous irez au lit.

Il fit quelques pas en direction d'un autre placard où il prit un oreiller et des couvertures.

— Que faites-vous ? s'enquit Tisha.

— Etant donné que je vais dormir sur le divan, il me paraît utile de prendre ceci, répondit-il brièvement.

Une faible lueur éclaira son regard.

— Mais peut-être, poursuivit-il, aviez-vous l'intention de partager ce lit avec moi ?

— Vous me dégoûtez ! lança-t-elle avec véhémence.

— Vraiment ? remarqua-t-il, goguenard.

— Vous êtes d'une insupportable arrogance. Je vous méprise ! ajouta-t-elle.

— C'est tout ? Bon, en ce cas, dépêchez-vous de gagner la salle de bains. Vous risquez de prendre froid.

— Je vous souhaite d'attraper une pneumonie et de ne pas en réchapper ! s'écria-t-elle alors qu'il se dirigeait à grandes enjambées vers le couloir.

La porte se referma sur Roarke. Tisha se tint là, un long moment ; dans la chambre régnait un profond silence, à peine troublé par les grondements étouffés de l'orage. Elle fut soudain prise d'un frisson ; elle se sentait glacée jusqu'aux os. A regret, elle dut admettre qu'une douche chaude et une bonne friction lui feraient le plus grand bien...

Sans plus attendre, elle se rendit dans la salle de bains, le pyjama toujours à la main ; puis, poussant la porte, elle mit le verrou. Elle resta de longues minutes sous l'eau, sans bouger. Epuisée nerveusement, à la limite de la rupture, elle se détendait peu à peu. Enfin, elle se sécha, se frottant vigoureusement. Elle se sentait un peu honteuse à l'idée de s'être abandonnée avec passion au baiser de Roarke, alors qu'il avait seulement voulu la punir, l'humilier.

Elle accrocha ses vêtements, pensive. Si jamais on lui avait dit qu'un jour elle éprouverait une violente attirance physique pour un homme qu'elle n'aimait, ni n'estimait, elle se serait insurgée avec force. Mais, malheureusement, c'était elle qui s'était trompée. Et elle ne pouvait en rendre Roarke totalement responsable...

D'un geste décidé, elle essuya les larmes qui perlaient au coin de ses paupières. Elle enveloppa ses cheveux mouillés d'une serviette qu'elle noua sur sa nuque, avant de passer la veste de pyjama de Roarke. Les manches étaient trop longues. Elle mit du temps pour parvenir à dégager ses mains ; après l'avoir boutonnée, Tisha constata qu'elle lui descendait pratiquement jusqu'au genou. Un coup d'œil au pantalon suffit à lui faire renoncer à l'enfiler : il était d'une longueur et d'une largeur proprement décourageantes... Elle le reposa près de la baignoire.

Ouvrant le verrou, elle retourna dans la chambre et se dirigea vers le lit. Plutôt que de s'y jeter en pleurant sur son sort, elle s'assit sur le bord, les jambes croisées, le dos à la porte. Elle dénoua la serviette et commença à sécher ses cheveux. On frappa.

— Puis-je entrer ? fit Roarke.

— Que voulez-vous ?

Sans daigner répondre, il pénétra dans la pièce. Il était toujours torse nu et portait un pantalon clair qui contrastait avec sa peau bronzée.

— Je vous ai préparé un chocolat. Cela vous détendra et vous permettra de trouver plus facilement le sommeil, annonça-t-il, le visage impénétrable.

— Comme vous êtes attentionné ! remarqua-t-elle d'un ton froid et railleur, tout en continuant de frotter ses cheveux.

— Le service de la voirie viendra dégager la route demain matin, poursuivit-il sans relever le sarcasme. En outre, j'ai téléphoné à Blanche pour la prévenir que je vous hébergeais pour la nuit.

Bouleversée par ces événements, Tisha avait complètement oublié que son absence prolongée pouvait inquiéter sa tante.

— Merci, prononça-t-elle à contrecœur.

— Désirez-vous du chocolat ou pas ?

Il était pourtant si simple de se lever et d'aller boire une tasse de chocolat chaud... Mais elle voulait éviter de croiser ce regard d'une indifférence glaciale.

— Posez-le sur la table de nuit, dit-elle. Je le boirai plus tard.

Au travers de sa longue chevelure dénouée qui formait comme un écran, elle le vit s'approcher du lit puis repartir. Le dos toujours tourné, elle demanda :

— Auriez-vous un peigne, par hasard ?

— Il y en a probablement un dans la salle de bains.

— Merci, répondit-elle en glissant une jambe à terre pour se lever.

Elle traversait la chambre quand résonna la voix de Roarke :

— Mais qu'avez-vous fait du pantalon de pyjama ?

Tisha s'arrêta, lui adressant un bref regard. Il semblait en colère, ce qui la surprit. Elle haussa les épaules.

— Il est beaucoup trop grand...

— Allez le mettre, commanda-t-il.

— Il était trop grand, je vous dis ! répéta-t-elle, rendue furieuse par le ton impératif de Roarke.

— Et moi je vous ordonne d'aller passer ce pantalon. Auriez-vous une prédilection pour les déshabillés affriolants comme certaines jeunes évaporées ?

Tisha sentit des larmes lui piquer les yeux. Sarcastique, elle lança :

— Si vous croyez que j'ai la moindre envie de vous séduire... C'est bien la dernière chose au monde...

Pivotant sur elle-même, elle se dirigea vers la salle de bains et claqua violemment la porte. Elle s'empara du pyjama, l'enfila et, fatalement, s'y empêtra les pieds. Elle tira alors sur la taille et la haussa jusqu'à sa poitrine. D'un pas mal assuré, elle s'avança vers la porte et l'ouvrit.

— Vous me comprenez, maintenant, déclara-t-elle en désignant les jambes du pantalon qui traînaient sur le sol.

— Retroussez-les, grommela Roarke.

— C'est pratique...

Un sourire moqueur apparut sur les lèvres de Tisha.

— Et comment dois-je procéder pour la taille ? Vous ne faites pas précisément du trente-huit !

— Improvisez, fit-il avec irritation.

— Improvisez !... Vous êtes vraiment impossible ! Qu'y a-t-il de mal à ne porter que la veste ? Elle descend jusqu'au genou. Est-ce si indécent ?

Elle s'approcha légèrement de Roarke. Soudain, elle se prit les pieds dans le vêtement trop long et bascula en avant. Par réflexe, elle tendit les bras pour tenter d'amortir sa chute, mais elle se cogna contre la poitrine de Roarke qui tentait de la rattraper. Déséquilibrés, ils tombèrent tous deux à terre ; Tisha se reçut sans trop de mal, Roarke faisant office de coussin.

— Vous êtes-vous fait mal ? demanda-t-il en la faisant rouler sur le côté.

— Non, réussit-elle à articuler, le souffle coupé. Non, je vous remercie.

— Devais-je vous laisser plonger la tête la première sur le sol ? murmura-t-il.

— Je vous avais pourtant dit que ce pantalon était trop grand, rétorqua-t-elle, prenant brusquement conscience du corps chaud de Roarke contre le sien.

— A quoi bon insister, cela ne changera rien, remarqua-t-il avec agacement.

Il passa le bras par-dessus Tisha et effleura, involontairement, sa poitrine. Elle frissonna, se sentant soudain très faible. Il plongea son regard indéchiffrable dans le sien ; quelques centimètres à peine les séparaient. Elle aurait voulu se serrer contre lui, mais détourna brutalement la tête ; une larme perlait au coin de sa paupière.

— Tisha...

— Oh, laissez-moi tranquille !

Sa voix se brisa sur ce dernier mot. Il la prit par le menton et la força à le regarder.

— Ne m'avez-vous pas assez humiliée ? fit-elle.

— Petite sorcière aux yeux verts, souffla Roarke.

Il ne quittait pas du regard ses lèvres tremblantes, légèrement entrouvertes. Elle laissa échapper un petit cri et tenta de le repousser.

A l'instant précis où ses doigts touchèrent la poitrine nue de Roarke, elle sut que ses sens la trahiraient une nouvelle fois. Quand il prit sa bouche, elle succomba aussitôt : un feu dévorant parcourut ses veines. Elle noua ses bras autour du cou de l'homme.

Les mains de Roarke glissèrent le long de son corps, s'attardant sur sa taille. Tisha répondait avec ardeur à toutes ces caresses qui l'électrisaient ; elle se sentait à l'unisson du désir de Roarke. Le monde qui l'entourait perdait peu à peu toute consistance et elle ne connut bientôt plus qu'une seule réalité : celle de cette étreinte qui faisait vibrer sa chair. Un imperceptible murmure sortit de ses lèvres lorsque Roarke fit, lentement, glisser la veste de pyjama sur ses épaules. De sa bouche il caressait sa gorge, son cou, attisant ce feu qui la consumait.

— Vous êtes une sorcière, déclara-t-il dans un souffle, en mordillant le lobe de son oreille.

Un peu haletante, Tisha protesta faiblement. Elle

était avide de ses baisers et s'agrippa aux épaules nues de Roarke. Celui-ci l'embrassa longuement, puis redressa la tête et dénoua les bras qui l'enserraient.

Avec souplesse, il se leva, saisit les mains de Tisha et la fit lever. Le pantalon de pyjama gisait par terre. Tisha, les yeux étincelants, croisa le regard de Roarke. Elle craignait d'y retrouver la même froideur que précédemment. Mais, cette fois, de petites flammes inquiétantes y luisaient.

— Avez-vous une idée de l'effet que vous produisez sur un homme ? demanda-t-il en posant les mains sur ses épaules.

Encore sous le choc des émotions éveillées en elle, Tisha tremblait. Elle sentait, confusément, que Roarke s'efforçait de se maîtriser.

— Buvez votre chocolat et allez au lit.

Il frôla du doigt les lèvres de la jeune fille avant de se diriger d'un pas décidé vers la porte. S'arrêtant à mi-chemin, il se retourna :

— Dès que je serai sorti, glissez une chaise sous la poignée de la porte. Il n'y a pas de verrou.

— Je vous fais confiance, murmura-t-elle.

— Merci, répondit-il sèchement, mais — en ce moment — c'est moi qui ne me fais pas confiance. Suivez donc mon conseil, cela vaut mieux.

— Oui, Roarke, fit-elle en secouant la tête.

Sa docilité la surprenait.

— Autre chose, ajouta-t-il en laissant errer un regard possessif sur Tisha, il est inutile de garder cette veste de pyjama sur votre dos... A présent, je sais très exactement à quoi vous ressemblez.

Un sourire timide se dessina sur la bouche de Tisha ; elle ne désirait pas le voir partir, mais redoutait qu'il reste.

— Bonne nuit, Tisha.

— Je vous souhaite une excellente nuit, moi aussi.

Ouvrant la porte, il sourit avec nonchalance.

— Et n'oubliez pas la chaise...

— C'est promis, dit-elle.

Ce qu'elle fit. Bien qu'elle sût que cela n'était pas nécessaire...

7

Tisha se tourna sur le côté, enfouissant sa tête dans l'oreiller ; elle ne tenait pas à émerger du sommeil. Elle ressentait une délicieuse impression de bien-être... Elle souleva une paupière, malgré elle, et reconnut le pyjama de soie grenat.

Les diverses péripéties de la nuit passée lui revinrent en mémoire avec la plus grande clarté. Elle se mit sur le dos, clignant des yeux. Etait-elle heureuse ? se demanda-t-elle. Ses yeux se portèrent vers la fenêtre ; les rayons du soleil filtraient au travers des rideaux. Oui, elle l'était. Elle savait provoquer en Roarke un trouble physique incontestable. Mais elle ignorait s'il éprouvait une attirance pour sa personnalité propre ou uniquement pour ses charmes...

Un léger soupir s'échappa de ses lèvres ; cette question demeurait sans réponse. Pour l'instant, elle ne désirait pas débrouiller l'écheveau des pourquoi et des comment. Cela viendrait plus tard. Ce matin, elle voulait simplement savoir si Roarke se trouvait dans le même état d'esprit que la veille.

A contrecœur, elle repoussa les couvertures et se rendit à pas feutrés dans la salle de bains. Ses vêtements avaient séché dans la nuit, et elle s'empressa de les mettre. Ses cheveux étaient très emmêlés, son foulard entièrement froissé ; renonçant à sa coiffure stricte et soigneusement ordonnée du jour précédent, elle se fit des nattes.

Impatiente, elle sortit de la chambre en fredonnant un petit air joyeux. Une lumière attira son attention ; elle venait du bureau de Roarke dont la porte était restée ouverte. Tisha ralentit le pas, puis jeta un coup d'œil dans la pièce. Appuyé sur sa table à dessin, Roarke dormait paisiblement, la tête enfouie au creux des bras. Une couverture était posée sur ses épaules.

Elle s'approcha et, mûe par une impulsion irrésistible, repoussa la mèche blonde qui barrait son front. Endormi, il paraissait moins impressionnant, et encore plus séduisant. Tisha s'apprêtait à sortir lorsque Roarke bougea légèrement. Elle était pourtant sûre qu'il ne l'avait pas entendue marcher sur l'épaisse moquette... S'éveillant lentement, il se dressa sur ses coudes, puis se passa la main sur les yeux d'un air las.

— Bonjour, lança Tisha gaiement.

— Est-ce qu'il... ? marmonna-t-il en tournant son visage maussade vers la jeune fille.

— Il ne pleut pas, répondit-elle, hésitante.

Il ne parut pas l'entendre.

— Le café n'est pas prêt, je suppose ? grogna-t-il en se frottant le menton.

— Je viens juste de me lever, se défendit-elle.

— Allez donc le préparer.

L'allégresse de Tisha s'évanouit ; hormis ce coup d'œil peu aimable, il ne l'avait même pas gratifiée d'un regard.

— J'y vais... déclara-t-elle, glaciale. Mais si vous en voulez une tasse, vous viendrez la chercher dans la cuisine !

La cafetière ne sifflait plus qu'imperceptiblement lorsque Roarke rejoignit Tisha. Elle s'aperçut, en le regardant à la dérobée, qu'il s'était rasé et peigné. Il avait revêtu une chemise foncée.

— C'est prêt, annonça-t-elle.

Elle s'en versa une tasse, mais n'esquissa pas même un geste pour le servir. Elle alla s'asseoir à la table.

— Voulez-vous un jus d'orange, des toasts, ou quelque chose d'autre ? demanda-t-il.

— Non, merci, répondit-elle avec une froide indifférence.

— Cessez donc de vous montrer désagréable, riposta Roarke.

— Et vous de me faire des remarques désobligeantes ! Si vous avez passé la nuit à travailler au lieu de dormir, je n'y suis pour rien...

— Le divan est trop court. Je ne peux pas allonger les jambes... Allez trouver le sommeil dans ces conditions...

— Je n'y suis pour rien, soupira-t-elle, désinvolte.

Adossé négligemment contre le mur, Roarke but une gorgée de café fumant.

— Permettez-moi de vous rappeler que vous occupiez le seul lit disponible dans cette maison, observa-t-il.

— Vous auriez pu...

— Quoi donc ? demanda-t-il avec un calme impressionnant.

Les joues de Tisha s'enflammèrent. Elle se leva précipitamment et reprit du café.

— Vous auriez pu coucher dans le lit, et moi sur le divan, acheva-t-elle.

— Ou alors dormir ensemble ? murmura Roarke.

— Je n'ai pas dit cela, souffla-t-elle.

Il s'approcha de Tisha et posa les mains sur sa taille, l'attirant contre lui.

— Mais j'aurais pu partager ce lit avec vous, n'est-ce pas ?

La voix caressante et un peu voilée de Roarke lui

arracha un long frisson. Elle inclina la tête en une affirmation muette.

— Et si je l'avais fait, poursuivit-il, ce matin vous tenteriez par tous les moyens de me lier à vous.

Tisha sentit son cœur se glacer.

— Est-ce pour cette raison que vous m'avez laissée seule ? demanda-t-elle en rejetant la tête en arrière, blessée dans son orgueil. Parce que vous aviez peur que je devienne envahissante ?

— Ne parlez pas comme si vous aviez de l'expérience... répliqua-t-il, l'air moqueur.

— Puisque vous préférez les femmes expérimentées, dit-elle sarcastique, pourquoi vous être donné la peine de m'embrasser ? Mais, peut-être vouliez-vous simplement voir si vous n'aviez par perdu la main ?

Roarke secoua doucement la tête.

— Non. J'ai agi de façon instinctive — vous étiez prête à vous abandonner. C'est une réaction normale, tout homme en aurait fait autant. En dépit de votre langue acérée, vous êtes vraiment désirable...

— Ainsi, vous ne me trouvez pas totalement insignifiante, remarqua-t-elle ironiquement.

— Je ne vous trouve pas insignifiante, assura-t-il, d'un ton posé. Ce serait plutôt le contraire.

— Vous vous contredisez sans cesse. Je ne sais pas à quoi m'en tenir ! s'écria-t-elle. Il y a un instant, vous me trouviez trop naïve, et maintenant vous laissez entendre que je vous plais. Ne pourriez-vous vous décider, une bonne fois ?

— Je le peux, répondit-il en insistant sur le mot « je ». Mais vous ? Que pensez-vous de moi ?

— En ce moment, je vous déteste ! rétorqua Tisha.

— Mais, la nuit dernière, vous étiez prête à faire l'amour avec moi, fit-il en caressant ses hanches.

Elle poussa un soupir. Le visage empreint d'une

grande confusion, les yeux bouleversés, elle chercha son regard.

— C'est idiot, n'est-ce pas ? murmura-t-elle. Je vous hais et...

La gorge serrée, elle ne put achever sa phrase.

— Attention à ce que vous allez dire...

Les yeux de Roarke s'assombrirent, perdant leur expression amusée et railleuse. Il resserra son étreinte et attira Tisha contre lui.

— Je pourrais tirer parti de vos aveux, ajouta-t-il à titre d'avertissement.

Tisha ne savait d'ailleurs pas très bien elle-même ce qu'elle lui aurait avoué. On ne tombe pas amoureuse si vite, pensait-elle. Et pouvait-on, tout à la fois, aimer un être et éprouver à son égard une si grande animosité ?

— Nous avons tous deux des natures très vives, Roarke, observa-t-elle d'une voix douce. Cela explique nos fréquentes disputes...

— Je ne saurais mieux dire.

Il sourit. Une lumière brillait dans son regard ; il se pencha sur la jeune fille et prit ses lèvres avec une tendresse passionnée. Ce fut un baiser trop bref au goût de Tisha qui se blottit dans la chaleur de ses bras.

— Bonjour, Tisha. J'avais oublié de vous le dire, n'est-ce pas ? souffla-t-il.

— Oui, répondit-elle, la joue contre sa poitrine.

A cet instant précis, elle se souciait peu des réactions contradictoires que Roarke pouvait susciter en elle. Elle rejeta la tête en arrière pour le regarder en face.

— Vous conduisez-vous toujours en vieil ours mal léché, le matin ?

— Quand une jeune fille s'est promenée la veille à moitié nue dans ma chambre, oui.

Un sourire se dessina sur ses lèvres ; Tisha sentit ses jambes se dérober sous elle.

Il y eut soudain un petit bruit métallique. Tisha sentit

Roarke se raidir et jeta un coup d'œil vers la porte de communication avec le garage. Elle se figea sur place, bouche bée.

— Papa ! s'écria-t-elle enfin d'une voix aiguë, en s'arrachant des bras de Roarke.

Incrédule, elle fixa son père dont le visage exprimait une colère froide. Mais il n'avait d'yeux que pour l'homme qui se tenait à côté d'elle.

— Que fais-tu donc ici ? souffla-t-elle.

Avec une sorte de dégoût, il la foudroya du regard. Tisha rougit violemment.

— Papa, ce n'est pas du tout ce que tu penses, s'empressa-t-elle de dire. Un énorme sapin s'est abattu sur la route, hier soir et... et je ne pouvais rentrer sous cet orage.

— C'est curieux, murmura-t-il, sarcastique. Je n'en ai pas vu en venant ici.

Il se tourna vers Roarke qui affronta avec calme ce regard hostile et provocant.

— Le service de la voirie a dû s'en occuper ce matin, expliqua la jeune fille en se passant la main nerveusement sur la gorge.

Blanche apparut dans l'embrasure de la porte et ses yeux cherchèrent immédiatement Tisha.

— Je suis désolée, ma chérie, murmura-t-elle d'un ton chaleureux. Il est arrivé à l'aube. Je n'ai pas pu le retenir.

Elle leva les mains en signe d'impuissance.

— Vous vous appelez bien Madison, n'est-ce pas ? demanda Richard Caldwell.

Roarke inclina la tête.

— Patrica, rentre avec Blanche à la maison !

— Papa, cela suffit ! s'exclama-t-elle. Avec ta rigueur puritaine, tu retardes d'un siècle ; on se croirait revenu à l'époque victorienne... Tu aurais dû t'armer d'un fusil

106

de chasse ! Il ne s'est rien passé la nuit dernière. Roarke, dites-le lui !

— Oui, bien sûr, nota ironiquement son père, et j'ai seulement vu dans votre petite scène touchante et intime les marques d'une affection purement fraternelle...

— Cela n'avait rien d'intime ! protesta Tisha en tapant du pied d'un geste rageur. Il me tenait simplement dans ses bras...

— Je t'ai dit de partir ! cria-t-il, laissant libre cours à sa colère.

Tisha se dressa devant lui.

— Non ! Pas avant que tu aies entendu mes explications.

— Je n'ai nul besoin d'explication ! Ce que j'ai vu en entrant ici me suffit...

— Mais, pour l'amour du ciel, Papa, je suis ta fille. Consentiras-tu enfin à m'écouter ?

Une sorte de désespoir commençait à percer dans sa voix ; elle eut une grimace d'amertume.

— Mais si tu t'y refuses, reprit-elle, c'est peut-être parce que tu sais comment tu aurais agi en pareille circonstance ?

Il accusa visiblement le coup et s'empressa de répliquer avec vigueur :

— C'est complètement absurde ! Ne détourne pas la conversation, je te prie.

— Je n'en ai pas l'intention. Je voudrais simplement t'empêcher de te tromper sur toi-même... et sur moi.

Richard Caldwell l'observa un long moment ; il refusait de céder à la supplication qu'il lisait dans les yeux, remplis de larmes, de sa fille. Son regard dur se porta sur Roarke qui, paisiblement, suivait ces échanges orageux.

— Monsieur Madison et moi allons avoir une petite

conversation privée, déclara-t-il en s'efforçant de se contrôler. Prends ma voiture et rentre avec Blanche.

— Et pourquoi serais-je tenue à l'écart de cette « petite conversation » ? Cela me concerne tout de même un peu, non ?

— Trop ! Les femmes ne savent pas discuter de façon cohérente, lorsque leurs sentiments sont en jeu. Tu te laisserais gagner par la passion, affirma-t-il avec force.

Un cri de colère s'échappa de la gorge de Tisha.

— Oh ! Et toi, tu en es capable ? Tu n'étais pas là hier soir... Pourtant, tu sais exactement ce qui s'est passé !

— Je ne tolèrerais pas tes insolences plus longtemps ! s'exclama son père au comble de la fureur. Quitte cette maison sur-le-champ !

— Je refuse de te laisser ici seul avec Roarke ! lança-t-elle avec la même violence.

Il y eut un léger bruit derrière elle, et Tisha sentit qu'on lui touchait la taille.

— Je suis parfaitement capable de me défendre moi-même, mon petit, intervint Roarke d'une voix traînante et légèrement amusée.

— Je commençais à vous prendre pour le genre de types qui s'abritent derrière les femmes, ironisa Richard Caldwell.

Roarke plissa les yeux. Cependant son visage demeurait très serein.

— Je comprends et apprécie votre attitude vis-à-vis des événements de cette nuit, Monsieur Caldwell, dit-il calmement.

Il adressa un coup d'œil rassurant à Tisha avant d'ajouter :

— Je pense également qu'en raison de son tempérament de feu, il nous serait très difficile d'avoir une conversation « cohérente » en présence de votre fille.

— Je resterai ici ! s'écria-t-elle d'une voix entrecoupée, furieuse d'avoir été ainsi trahie.

— Allez-vous en, fit Roarke en la poussant doucement. Je suis persuadé que nous parviendrons à nous
entendre, votre père et moi.

Tisha se tourna vers lui, les yeux étincelants, révoltée.

— Il n'en est pas question !

— Obéissez à votre père, ordonna Roarke d'un ton
tranquille et ferme.

— Et si je refuse ?... Vous me porterez sur votre
épaule jusqu'à la voiture ? demanda-t-elle en insistant
sur ces derniers mots.

— Si nécessaire, oui, murmura-t-il.

Tisha était vaincue, elle le savait. Elle regarda son
père qui, visiblement, approuvait l'autorité de Roarke ;
il eût probablement applaudi si ce dernier avait eu
recours à la force. Dans un ultime sursaut, elle répandit
son venin :

— Vous me dégoûtez l'un et l'autre, avec votre
arrogance typiquement masculine, et vos airs supé-
rieurs ! Je m'en vais, mais uniquement parce que je ne
peux plus supporter votre vue !

Elle sortit, entraînant Blanche dans son sillage. Les
larmes lui brûlaient les yeux. Parvenue près de la
voiture de son père, elle la contourna, et s'installa à la
place du passager.

— Conduis, Blanche, fit-elle sèchement. Je suis absolument hors de moi... Si je prends le volant, je suis sûre
d'aller dans le fossé.

Sa tante mit le moteur en marche et s'engagea sur
l'allée en pente.

— Je n'ai jamais été si humiliée de ma vie, murmura
Tisha. Papa avait-il donc besoin de venir jusqu'ici ? Mais
pourquoi est-il toujours prêt à croire le pire ?

A présent, son visage était baigné de pleurs.

— Tu lui manquais, Tisha, murmura doucement sa
tante. S'il a fait tout ce chemin, c'était pour passer la
journée avec toi.

— J'aurais préféré de loin qu'il reste à Little Rock. Je ne veux plus jamais le voir ! lança-t-elle exaspérée.

Puis elle s'affaissa sur son siège, découragée.

— Ce n'est pas ce que je voulais dire, soupira-t-elle. Je l'aime, bien sûr. Mais ne peut-il me faire un peu confiance ?

— C'est plutôt de Roarke qu'il se méfierait !...

Un petit sourire flotta sur les lèvres de Blanche.

— Si Roarke était un sexagénaire bedonnant, ton père ne serait sans doute pas parvenu aux mêmes conclusions. De plus, il t'a trouvée dans ses bras. Tu ne peux tout de même pas lui reprocher de se contenter de suppositions... Ne l'oublie pas : dans sa jeunesse, ton père devait faire peu de cas des protestations féminines. Il a probablement pensé que Roarke avait agi de la même façon avec toi...

Tisha se sentit soudain honteuse. Elle était la seule à savoir, avec Roarke, combien les soupçons de son père avaient failli être réels. La culpabilité était sans doute la raison qui lui avait fait nier ses accusations avec tant de véhémence.

— Si seulement l'orage n'avait pas abattu cet arbre, fit-elle avec une petite grimace. Et si seulement la voirie n'avait pas si vite déblayé la route ce matin...

— Et si je ne t'avais pas envoyée porter le paquet hier soir, renchérit Blanche avec humour. C'est moi qui ai insisté pour que tu y ailles tout de suite.

— Oh, Blanche, je ne t'en veux pas, s'écria-t-elle vivement.

— Je le sais bien...

La maison était en vue, et quelques instants plus tard, Blanche se garait juste devant la porte.

— J'ai préparé du café avant de partir.

— J'espère qu'il est bien fort, remarqua Tisha en descendant de voiture. J'en ai grand besoin !

Sitôt entrées, elles se dirigèrent vers la cuisine.

Blanche servit le café. Un soupir s'échappa des lèvres de Tisha.

— Après ce qui vient de se passer, Papa ne voudra pas me laisser ici. Il va me ramener avec armes et bagages et m'enfermer à double tour, fit-elle en secouant la tête d'un air résigné.

— Il n'en est pas question, assura Blanche avec fermeté. Peu importe ce qu'il dira, tu es ici la bienvenue.

— Je te remercie, Blanche, lança Tisha avec un sourire.

Elle tourna les yeux vers la fenêtre, et son regard se perdit au loin :

— A ton avis, que va-t-il faire à Roarke ?

— Pas grand-chose Tisha, j'en suis persuadée.

— J'aimerais bien deviner ce qui se passe là-haut.

— Nous le saurons bientôt, dit Blanche.

Il s'écoula plus d'une heure avant qu'elles entendent le ronronnement de la voiture de Tisha dans l'allée. Elles échangèrent un regard : La jeune fille s'apprêta à affronter la colère de son père. Quand il pénétra dans la cuisine, il arborait un large sourire. Il se frotta les mains d'un air satisfait comme s'il venait de réussir une mission difficile.

— Reste-t-il un peu de café ? demanda-t-il avec entrain.

Tisha s'attendait à tout, sauf à cette manifestation de bonne humeur. Elle plissait le front, perplexe, en regardant son père se verser une tasse de café.

— Tu as beaucoup de chance, ma fille, déclara-t-il en s'asseyant à califourchon sur une chaise.

Le soleil jetait des reflets sur ses tempes argentées.

— Que veux-tu dire ? fit Tisha d'un ton dégagé.

— Ton Monsieur Madison s'est engagé à se conduire en homme d'honneur, annonça-t-il d'un air content de lui.

Elle se raidit à ces mots.

— En homme d'honneur? Qu'est-ce que cela signifie?

— Il a accepté de t'épouser, bien sûr!

Littéralement abasourdie, Tisha n'en croyait pas ses oreilles.

— Oh, mon Dieu! s'exclama-t-elle. Tu ne parles pas sérieusement?

— Je n'ai jamais été aussi sérieux, déclara-t-il. Nous allons nous occuper des formalités cette semaine.

— Non! s'écria Tisha en bondissant de sa chaise. Non, non, et non! Je refuse de me marier avec lui!

— C'est pourtant bien ce qui va arriver...

— Mais je ne le connais même pas, protesta-t-elle, désespérée. A dire vrai, je n'ai aucune estime pour lui, et je ne l'aime pas!

— Tu aurais dû réfléchir à tout cela avant de passer la nuit avec lui.

— J'ai passé la nuit chez lui, — pas avec lui. Il a certainement dû te le dire? Il l'a bien fait, n'est-ce pas?

Soudain angoissée, elle sentit sa gorge se serrer.

— Je ne lui ai pas demandé de me faire un compte rendu précis... Nous n'avions, d'ailleurs, aucune raison de nous préoccuper de ces détails, remarqua-t-il avec dédain. Dès l'instant où je l'ai vu animé des meilleures intentions, il ne m'a pas paru utile de chercher à en savoir plus.

— Des meilleures intentions! répéta Tisha. Veux-tu dire que Roarke désire vraiment m'épouser?

— Je l'ai persuadé que ce mariage devait s'accomplir et le plus vite possible.

— Richard, l'as-tu menacé? demanda Blanche avec irritation.

— Non, pas précisément, répondit-il, un peu mal à l'aise. Mais c'est un homme intelligent. Il a compris que je devais protéger la réputation de ma fille.

— Tu veux me marier de force, intervint Tisha. Mais je ne l'aime pas !

— C'est un beau garçon, et il dispose de revenus confortables. Tu pourrais tomber plus mal.

Une petite flamme s'alluma dans son regard, et il ajouta :

— Il est possible que tu ne sois pas amoureuse de lui, mais je pense que cela viendra — si j'en juge à la façon dont tu te serrais contre lui...

— Non, fit-elle dans un souffle. Je refuse de l'épouser !

— Tout est arrangé, et nous n'allons pas y revenir !

Il posa sa tasse sur la table et se leva.

— A présent, si tu veux bien m'excuser, je dois partir. Il me faut prendre mes dispositions pour me libérer la semaine prochaine.

— Je n'arrive pas à le croire, murmura Tisha, en se laissant glisser sur sa chaise, tandis que son père sortait de la cuisine. Comment Roarke a-t-il pu accepter une chose pareille...

— Cela me surprend tout autant, confessa Blanche.

— C'est un cauchemar... il suffirait que je me pince pour me réveiller... Grâce au ciel, un mariage ne se fait pas sans formalités. Sinon, Papa nous aurait unis sur-le-champ ! remarqua Tisha en frissonnant. Je le savais terriblement vieux jeu, mais je n'aurais jamais imaginé qu'il irait jusqu'à faire une chose pareille.

— Roarke n'a rien fait pour empêcher ce... mariage, constata Blanche d'une voix hésitante. Je sais qu'il te trouve très attirante. Je me demande... n'es-tu pas tombée amoureuse de lui ?

— Moi ? Amoureuse de Roarke ?

Elle s'était efforcé d'employer un ton particulièrement indigné et convaincant.

— Jamais ! ajouta-t-elle avec fermeté.

N'osant analyser ce qu'elle éprouvait, elle se leva vivement.

— Il faut que je parle à mon père. Je dois parvenir, d'une manière ou d'une autre, à lui faire comprendre que je ne veux pas épouser Roarke !

8

Le reste de la matinée, et une bonne partie de l'après-midi, Tisha s'acharna à convaincre son père. Mais, ni les raisonnements les plus élaborés, ni les larmes les plus touchantes, ne le firent changer d'avis. Elle dut se rendre à l'évidence : tant qu'il croirait Roarke disposé à l'épouser, son père se montrerait inflexible. Elle pénétra rageusement dans l'atelier où Blanche s'était discrètement retirée.

— Va rejoindre Papa et tâche de l'occuper, je t'en prie, fit Tisha en pleurs. Je dois passer un coup de fil à Roarke, mais je ne veux pas qu'il le sache.

Immédiatement, Blanche posa son pinceau et s'essuya les mains.

— Aucun résultat ? demanda-t-elle, le regard compatissant.

Tisha garda le silence, mais son visage sombre était suffisamment éloquent.

— Tu trouveras le numéro de Roarke sur le carnet d'adresses, près du téléphone.

Balbutiant un remerciement, Tisha traversa la pièce et prit le combiné. La porte se referma sur Blanche. Les mains légèrement tremblantes, elle forma le numéro et attendit impatiemment. Les sonneries se succédaient ;

elle allait raccrocher lorsqu'elle entendit la voix de Roarke.

— Mais où étiez-vous donc ? lança-t-elle, irritée.

— Qui est à l'appareil ? Tisha ?

— Evidemment, dit-elle, sèchement.

— Oui, évidemment. Hormis vous, personne ne parlerait avec tant de brusquerie... J'étais occupé. Je travaille, vous savez...

— Je n'ai pas le temps d'échanger des propos mondains, répliqua Tisha, exaspérée par le ton moqueur de Roarke. Mon père peut survenir d'une minute à l'autre.

— Que représente un malheureux coup de téléphone à côté des soupçons qu'il fait peser sur vous ?

— Taisez-vous et écoutez-moi attentivement ! Mon père se couche à dix heures. Trouvez-vous à onze précises au bout de l'allée. C'est bien compris ?

— Oui...

Elle n'attendit pas qu'il achève sa phrase et reposa le combiné. Ce n'était pas le moment de prolonger inutilement la conversation.

Elle se tint soigneusement à l'écart jusqu'à l'heure du dîner. Celui-ci se déroula dans une atmosphère tendue. L'attitude de Tisha était particulièrement glaciale. De temps à autre, elle tenait des propos acerbes pour marquer clairement qu'elle refusait de s'incliner devant la décision de son père. Une fois la table débarrassée, elle rejoignit Blanche à la cuisine tandis que son père s'installait au salon.

Les mains plongées dans l'eau de vaisselle, elle laissa errer distraitement son regard par la fenêtre. Elle tressaillit soudain : elle venait de reconnaître la voiture de sport blanche qui s'avançait dans l'allée. Elle jeta un coup d'œil à la pendule ; il était à peine sept heures. Roarke ne pouvait pas s'être trompé. Elle avait dit onze heures.

Elle retira précipitamment les mains de l'évier et s'empara du torchon de Blanche.

— C'est Roarke ! Il est ici ! s'exclama-t-elle dans un souffle.

Elle se sentait gagnée par la panique.

— Je croyais que tu avais rendez-vous à onze heures, fit sa tante en fronçant les sourcils.

— C'est bien ce dont nous étions convenus, souligna Tisha.

Traversant la cuisine, elle s'arrêta sur le seuil de la porte. Elle vit les deux hommes se serrer la main presque chaleureusement. Son cœur se mit à battre violemment. Roarke échangeait des politesses avec son père.

— J'espère que ma visite tardive ne vous dérange pas ?

Il se tourna ensuite vers Tisha, et ses yeux sombres se mirent à briller. Il ajouta :

— Je suis venu au sujet de votre fille. Pourrais-je avoir un petit entretien en tête à tête avec elle ?

— Cela ne pose pas de problèmes, répondit Richard Caldwell en adressant à Tisha un regard éclairé d'une étincelle de triomphe.

— Pouvons-nous aller dans l'atelier de votre sœur ?

— Si vous voulez...

Tisha, soucieuse de parler avec Roarke afin de faire échouer ce projet de mariage, n'émit aucune objection. Elle lui montra le chemin. A l'instant où la porte se referma derrière eux, elle apostropha Roarke d'une voix sifflante :

— Ne vous avais-je pas dit onze heures ?

— Vous ne croyez tout de même pas que j'allais tomber dans ce piège une nouvelle fois, remarqua-t-il d'un ton plein de froideur.

— Quel piège ? demanda-t-elle, un peu ébranlée.

— Je m'attendais à quelque chose de plus original de votre part ! Ce traquenard est vieux comme le monde.

Tisha le dévisageait, bouche bée. Roarke la toisa avec arrogance, laissant glisser ses yeux sur son corps mince.

— Mais enfin, de quoi parlez-vous ?

Il grimaça un sourire.

— Je me demande combien d'hommes ont été pareillement piégés... Vous hébergez une fille pour la nuit, et, le lendemain matin, le père se présente à votre porte pour vous faire réparer la soi-disant offense.

— Vous ne pensez tout de même pas... murmura-t-elle, effarée. J'ignorais que mon père allait venir, je vous le jure. Ce n'est pas un coup monté, Roarke. Il faut me croire !

Elle s'approcha de lui, l'air presque suppliant.

— Si j'avais pensé, fût-ce une seconde, que vous l'aviez fait exprès, je vous aurais tordu le cou, déclara-t-il d'un ton moqueur.

Tisha eut quelque peine à réaliser qu'il s'était tout simplement joué d'elle. Les yeux de Roarke se mirent à pétiller malicieusement.

— C'est bien le moment de plaisanter ! s'exclama-t-elle en tapant rageusement du pied, comme une enfant. Vous vous êtes moqué de moi. Délibérément. Il en va de même pour notre rendez-vous... Je ne vous attendais pas avant onze heures.

— Et si nous nous étions rencontrés, à onze du soir, au bout d'une allée obscure, qu'aurait pensé votre père s'il nous y avait surpris ? demanda Roarke. Il serait parvenu aux mêmes conclusions que ce matin et aurait précipité plus encore ce mariage.

Tisha n'eut pas la force de croiser le regard de Roarke ; l'argument était irréfutable.

— N'ayons rien à cacher, poursuivit-il. Ainsi, il sera peut-être amené à avoir confiance en nous.

— Mais qu'importe, après tout, sa confiance, fit

Tisha entre ses dents, si nous n'arrivons pas à le faire changer d'avis à propos de ce stupide projet...

— Votre père n'est pas un homme à qui on fait dire noir un jour et blanc le lendemain. Avec lui, il faut procéder en douceur.

— Et que proposez-vous pour commencer ?

Comme si elle lui lançait un défi, elle rejeta la tête en arrière et ajouta :

— Vous avez bien une solution ? Peut-être allez-vous ramener une femme du diable vauvert et prouver ainsi qu'en m'épousant vous seriez bigame ?

— Ce serait radical, remarqua-t-il en esquissant un sourire. J'ai pensé que nous aurions pu le convaincre de prolonger nos « fiançailles » de quelques semaines, voire plus.

— Et ainsi, s'apercevant au bout de ce laps de temps que, décidément, nous ne sommes pas faits pour vivre ensemble, il nous laisserait aller librement chacun de notre côté, conclut Tisha. Seulement avec mon père, il ne faut pas compter là-dessus.

— Pourquoi ?

— Vous ne le connaissez pas, dit Tisha en grimaçant. C'est un vrai bouledogue. Il ne lâche jamais.

— Mais il ne peut s'obstiner à ce point ! Je suis sûr qu'il voit votre bonheur avant tout.

— Pas moi.

Elle secoua la tête et se laissa tomber sur un tabouret. Son expression était particulièrement sombre.

— Avant, il ne jurait que par Kevin, mais, maintenant qu'il vous connaît, c'est comme s'il l'avait mis au rebut. Il croit que vous allez me prendre en main...

Une lueur amusée apparut dans le regard de Roarke, et Tisha s'emporta aussitôt :

— Tout ceci est arrivé par votre faute, lança-t-elle, pleine de hargne. Si vous ne m'aviez pas forcée à partir ce matin, nous ne serions pas dans cette situation

fâcheuse. Il vous a contraint à accepter ce mariage...
pourquoi l'avez-vous laissé vous intimider ?

— Le sentiment de culpabilité, je suppose, répondit
Roarke avec calme, sans être troublé le moins du monde
par ce dernier sarcasme.

— De culpabilité ? Il n'y a pas de quoi se sentir
coupable ! Il ne s'est rien passé ! Si vous étiez venu à ma
rescousse quand je tâchais de le lui faire comprendre, il
nous aurait peut-être crus !

— Vous avez raison. Sur le plan strictement physique, il ne s'est effectivement rien passé — hormis ces
longs baisers quand nous sommes tombés à la renverse
sur la moquette... Mais par l'imagination, disons que je
n'en suis pas resté à ces préliminaires... petite fille.

Tisha sentit un long frisson la parcourir. Une nouvelle
fois, toutes ses résistances s'effondraient.

— Ne m'appelez pas ainsi, déclara-t-elle, en essayant
de contrôler sa respiration. Je ne suis pas une petite
fille.

— Non, reconnut-il d'un ton caressant.

Sa main glissa dans ses cheveux, prit une longue
mèche, et la laissa retomber sur ses seins.

— Vous êtes une femme et vous savez, d'instinct,
éveiller et attiser le désir d'un homme. Comme vous
l'avez prouvé hier soir.

— Nous... nous... égarons. Revenons à l'affaire qui
nous intéresse, balbutia Tisha en reculant prudemment
d'un pas.

Il lui enlaça la taille et remarqua avec ironie :

— Je croyais que nous y étions justement...

— Allons, lâchez-moi, protesta-t-elle faiblement.

Roarke accentua son étreinte.

— Mais pourquoi ? fit-il, moqueur. Nous sommes
fiancés. Nous pourrions profiter des plaisirs que cela
suppose.

Le souffle court, elle tenta désespérément de se dégager.

— N'êtes-vous pas en train d'oublier que nous essayons précisément de sortir de cette situation ?

— Vraiment ?

Le regard de Roarke, filtrant entre ses paupières à demi closes, s'attarda sur sa bouche. Tisha s'humecta nerveusement les lèvres. Roarke bougea imperceptiblement la tête.

— Non...

Elle n'eut pas même le temps de protester, le baiser de Roarke la réduisant au silence. Lentement, elle glissa les doigts vers sa nuque et se serra plus étroitement contre lui. Soudain deux coups furent frappés à la porte qui s'ouvrit presque immédiatement. Une sorte de sixième sens avertit Tisha que ce devait être son père.

— Je suis venu voir si vous vouliez du café, lança Richard Caldwell avec un sourire.

Tisha, très gênée, voulut repousser Roarke mais ne put y parvenir.

— Plus tard, peut-être... reprit son père en refermant la porte.

— Vous rendez-vous compte de ce que vous avez fait ? s'écria-t-elle en s'arrachant des bras de Roarke. Comment parviendrons-nous désormais à le convaincre que nous ne voulons pas nous marier ? Mais pourquoi vous êtes-vous conduit ainsi ? Je ne veux pas vous épouser !

— Comment pouvais-je deviner que votre père allait surgir d'une façon aussi inopinée ?

Il haussa les épaules avec indifférence.

— Et puis à quoi bon se lamenter...

— C'est tout ce que vous trouvez à dire ! répliqua rageusement Tisha. Alors que je tente, par tous les moyens, de me sortir de ce guêpier, vous, de votre côté, vous profitez de la situation... Vous êtes l'homme le plus égoïste que je connaisse, le plus personnel, le plus...

Elle s'interrompit cherchant un mot blessant.

— Répugnant, suggéra-t-il.

— Oui, répugnant! Vivre avec un goujat comme vous me serait proprement insupportable, acheva-t-elle.

— Et vous croyez vraiment que j'ai envie de m'encombrer d'une mégère jusqu'à la fin de mes jours? demanda-t-il d'un air narquois. Vous êtes toujours prête à me lancer des insultes... Je suis répugnant, dites-vous? Pourtant, vous répondez à mes avances. Vous êtes-vous jamais demandé pourquoi?

— C'est une attirance purement physique, constata-t-elle, sarcastique. Jamais je ne vous épouserai! Et si j'y étais contrainte, je m'enfuirai.

— On n'a jamais rien résolu en adoptant une telle attitude, lui rappela Roarke.

— Elle aurait au moins le mérite de me débarrasser de vous, rétorqua-t-elle.

— Et comment réagirait votre père, si vous preniez la fuite? Y avez-vous pensé? Les liens unissant les parents et les enfants sont assez fragiles. En agissant ainsi, vous risqueriez de provoquer une rupture définitive. Et il est toujours difficile de revenir en arrière... Mieux valent des discussions vives, voire des cris, que le silence, vous ne croyez pas?

Tisha parut soudain mal à l'aise. En s'enfuyant, elle laisserait son père le cœur brisé. En dehors de Blanche, il n'avait plus de famille. Elle laissa échapper un soupir douloureux.

— Je ne sais pas quoi faire. Je suis très attachée à mon père, mais je ne peux tout de même pas me marier simplement pour lui faire plaisir...

Il la prit aux épaules d'un geste amical, rassurant, et l'attira vers la lumière. Elle leva les yeux et se sentit réconfortée par son sourire compréhensif.

— Me permettriez-vous de régler ce problème moi-même d'une façon pleinement satisfaisante pour nous deux ? dit gentiment Roarke. Je vous demande de remettre votre avenir entre mes mains.

Il tenait, au moins autant qu'elle, à éviter ce mariage. Elle ne voyait pas quelle autre raison aurait pu l'inciter à faire cette requête.

— Oui, murmura-t-elle, je vous fais confiance.

— Bon, à partir de maintenant, je prends les choses en main. Evitez les discussions avec votre père. Ne faites rien qui puisse le buter. N'essayez pas de le persuader qu'il a tort, vous renforceriez ses convictions. D'accord ?

— D'accord, répéta-t-elle. Je suis prête à parier que vous regrettez de ne pas m'avoir laissée partir à pied, hier soir.

— Si je m'étais imaginé un instant que votre père pouvait se cacher derrière la maison, je vous aurais ramenée chez vous, dussé-je vous porter ! remarqua-t-il avec un petit rire. Et j'aurais passé une bonne nuit, au lieu d'attraper des courbatures...

— La prochaine fois que cela se produira, renvoyez la fille chez elle et dormez dans votre lit, remarqua Tisha avec un peu de malice.

— Il n'y aura pas de prochaine fois, assura-t-il.

Ses yeux s'assombrirent, et prirent une expression singulière, énigmatique.

— Allons prendre ce café en compagnie de votre père avant qu'il ne revienne voir ce que nous faisons, reprit-il en lui prenant le bras. Et souvenez-vous, je m'occupe de tout.

— C'est entendu, Roarke, promit-elle en se demandant pourquoi cet homme, dont elle disait à qui voulait l'entendre qu'elle ne l'aimait pas, la rassurait à ce point. Ne mettait-elle pas son avenir entre ses mains...

Durant les jours qui suivirent, Tisha commença à se

demander si elle n'avait pas commis une erreur en faisant confiance à Roarke. Elle s'était efforcée de suivre ses instructions au pied de la lettre. Prenant soin de ne pas provoquer son père, elle avait même accédé de bonne grâce à tous ses désirs. Mais cette attitude conciliante n'avait pas donné le moindre résultat : Richard Caldwell se montrait toujours inflexible.

Tisha se sentait peu à peu gagnée par la panique. On avait procédé aux prises de sang, et ils allaient recevoir incessamment leur licence de mariage... Elle se voyait déjà pénétrer dans la nef, au bras de Roarke, et se diriger vers l'autel où les attendait le prêtre.

Même Blanche, qu'elle avait considérée depuis le début comme son alliée, semblait l'éviter. Elle paraissait très préoccupée par la nature des sentiments de Tisha à l'égard de Roarke et, les rares fois où elle la voyait, la harcelait de questions. Manifestement, elle considérait ce mariage comme inévitable.

La passivité de Roarke plongeait Tisha dans la plus grande perplexité. Il se serait sans doute déjà manifesté s'il avait eu l'intention de tenter quelque chose. Les jours passaient. Son père avait fixé la date du mariage. Il aurait lieu dans une petite église des environs, le samedi suivant. On était jeudi...

Profitant d'une absence de son père, Tisha se rendit l'après-midi chez Roarke en empruntant un sentier forestier. Mais lorsqu'elle parvint enfin à sa maison, après s'être plus ou moins égarée, ce fut pour trouver porte close. Elle se sentit plus énervée et déprimée que jamais.

Sur le chemin du retour, elle traversa la clairière qui se trouvait en contrebas de la maison de Blanche. Billy n'en continua pas moins de brouter paisiblement. Il s'habituait à ses allées et venues. L'air maussade, Tisha prit la direction de la cuisine, négligeant l'entrée principale.

Elle allait poser la main sur la poignée de la porte vitrée, lorsqu'elle aperçut Roarke assis à la table aux côtés de Blanche. Elle s'arrêta net, consciente de son indiscrétion.

— Elle vous a bien dit qu'elle partait faire une promenade, vous en êtes certaine ? fit Roarke.

— Oui, assura Blanche, le visage empreint d'une certaine gravité. Sa voiture et toutes ses affaires sont encore ici... J'en suis sûre : elle n'a pas décidé de s'enfuir.

Ils ne semblaient pas ourdir quelque sombre machination pour l'obliger à se marier, mais tout simplement s'inquiéter de son absence. Tisha poussa un soupir résigné et entra.

— Te voilà enfin ! s'exclama Blanche en se levant précipitamment, le sourire un peu forcé. Nous nous demandions où tu étais passée.

— J'ai tout d'abord envisagé de me jeter du haut d'une falaise escarpée, mais je n'ai pas réussi à en trouver une, dit Tisha. Ensuite, j'ai essayé de me perdre dans les bois, pour finalement aboutir dans un jardin privé. Je n'avais plus qu'à rentrer ici, conclut-elle d'un ton amer.

— Ne plaisante pas avec ces choses-là, murmura sa tante, en fronçant les sourcils.

— Excuse-moi, Blanche. C'est ce mariage qui me rend nerveuse...

Elle jeta un regard courroucé en direction de Roarke ; celui-ci l'observait avec une grande attention.

— Et comment va le futur époux ?

— Le mieux possible, répondit-il en suivant Tisha des yeux, tandis qu'elle se versait une tasse de café.

— Prenez une chaise et asseyez-vous, déclara-t-il.

— Je n'en éprouve pas le besoin !

L'attitude paisible et un peu hautaine de Roarke ne faisait qu'accroître sa propre nervosité. Elle surprit le coup d'œil qu'il adressa à Blanche ; sa tante se leva aussitôt.

— Vous devez avoir envie d'être seuls tous les deux, dit-elle. Je vais aller peindre un peu.

Dès que sa tante eut refermé la porte, Tisha se tourna vers Roarke. Ses yeux verts étincelaient de colère.

— Alors ? Le mariage a lieu samedi !

— Je sais, remarqua-t-il, imperturbable.

— Si vous le savez, pourquoi ne faites-vous rien ?

Sans se presser, il se leva, et s'approcha de Tisha. A présent, il était en pleine lumière, et le soleil accrochait des reflets dorés dans ses cheveux.

— Je commence à douter de votre plan pour nous sortir de là, poursuivit-elle.

— Je croyais que vous m'aviez accordé votre confiance, lui rappela Roarke d'une voix douce.

— Effectivement... je l'ai fait, réussit-elle à articuler. Elle se sentait la gorge serrée.

— Vous parlez au passé. Vous avez donc changé d'avis. Je me trompe ?

— Je ne sais plus que penser.

Leurs yeux se croisèrent, et Tisha baissa les siens. Son menton tremblait légèrement.

— Mais qu'est-il donc arrivé à cette petite rousse qui avait des idées si arrêtées ? Ainsi, vous reconnaissez ne pas tout savoir ? J'ai du mal à croire que vous soyez cette même personne...

— Non, je ne sais pas tout, reconnut-elle.

Elle respira profondément ; mais en dépit de ses efforts, elle ne put maîtriser son émotion. Une larme perla au coin de sa paupière et glissa le long de sa joue.

— Vous pleurez...

— Eh bien oui, je pleure ! s'écria-t-elle, les yeux brillants. Vous feriez mieux de m'offrir votre épaule au lieu de rester là, planté, à me regarder !

— Voilà une demande plutôt surprenante de votre part, constata-t-il d'un air songeur.

Il l'attira contre sa poitrine, refermant les bras autour d'elle. Puis il se pencha. Ses lèvres frôlaient presque son front. Tisha percevait nettement les battements du cœur de Roarke, et, étrangement, ils la rassurèrent.

— Laissez couler vos larmes, Tisha.

Elle s'abandonna sans retenue à son chagrin. Quand les sanglots s'espacèrent, Roarke sortit son mouchoir et lui essuya délicatement les joues.

— Cela va mieux ?

Tisha fit oui de la tête et murmura :

— Serrez-moi fort, je vous en prie.

— Volontiers, déclara-t-il en souriant.

Il y eut un long silence.

— Je suis montée chez vous, par la forêt. Je voulais vous voir, finit-elle par dire.

— Et moi, je suis descendu ici, pour la même raison...

Roarke plongea la main dans sa poche et ajouta :

— Voilà ce pourquoi je suis venu, cet après-midi.

Il lui tendit une bague ornée d'un magnifique solitaire. Tisha poussa un petit cri où se mêlaient la surprise et la joie. Brillant de tous ses feux, le diamant étincelait dans le soleil.

— C'est un vrai ? souffla-t-elle.

— Tout ce qu'il y a de plus vrai, souligna-t-il d'un ton moqueur. Vous pouvez le toucher. Il ne va pas disparaître...

L'enthousiasme de Tisha retomba un peu.

— Non, fit-elle en reculant. C'est une bague de fiançailles. Elle est splendide, mais...

— Votre père s'attend à ce que vous en ayez une.

— Il s'attend aussi à un mariage, lui rappela-t-elle, non sans brusquerie.

— Faites-moi confiance.

Tisha croisa le regard chaleureux de Roarke ; méfiante, elle hésitait.

— Je la prends, dit-elle à contrecœur. Mais je vous la rendrai quand tout ceci sera fini.

Roarke la lui glissa au doigt.

— Comme vous voudrez. Vous pourrez aussi la garder en souvenir.

— Ce ne serait pas correct.

Elle ne pouvait s'empêcher d'admirer le diamant qui étincelait à chaque geste de sa main.

— Vous n'auriez pas dû acheter quelque chose d'aussi cher. Et si je la perdais ?

— Elle va vous serrer un peu ; mais c'est pour que vous ne puissiez pas me la jeter au visage dans un accès de colère...

— Je ne ferais jamais cela, murmura-t-elle en se dégageant de son étreinte.

— Oh si, vous le feriez, remarqua-t-il en souriant.

Le visage de Tisha s'assombrit brusquement.

— Roarke... le mariage a lieu samedi. Comment allons-nous procéder ?

— Je prends les choses en main.

— Oui, mais...

— Il n'y a pas de mais. Tout ira pour le mieux, vous verrez.

— Si seulement je connaissais votre plan, soupira-t-elle.

— A présent, je vais rentrer. Et surtout ne vous inquiétez pas.

Il lui frôla le bout du nez et se dirigea vers la porte.

— Vous remercierez Blanche pour le café. A demain.

9

Le lendemain après-midi, Roarke n'était toujours pas arrivé lorsque deux heures et demie sonnèrent. A présent, Tisha pensait qu'elle aurait dû insister et lui demander ce qu'il comptait faire, détails à l'appui, pour reculer ce mariage. Décidément, elle avait fait preuve d'une grande imprudence... C'était son avenir dont il s'agissait, et elle avait le droit de savoir ce qui se préparait.

La lumière qui pénétrait à flots dans l'atelier faisait scintiller le diamant que Tisha portait au doigt. Elle se mit à frissonner en songeant à ce que cette bague signifiait. Demain, Roarke et elle allaient se marier ; sauf si au pied de l'autel, il prenait fait et cause pour elle... Si seulement, elle connaissait ses intentions !

— A quoi donc est occupée notre future mariée, aujourd'hui ?

Tisha reconnut la voix de son père et, délaissant sa toile blanche, se tourna vers lui. Sa silhouette se détachait dans l'encadrement de la porte. Il parcourut l'atelier du regard — on eût dit un adolescent qui brûle de dire son secret. Son beau visage était rayonnant. Elle lui répondit par un pâle sourire.

— Entre, Papa, dit-elle, impassible. Je ne peignais même pas.

— Non, viens plutôt avec moi. J'ai quelque chose à te montrer, insista-t-il.

A contrecœur, elle suivit son père qui la conduisit dans sa propre chambre. Ce qu'il voulait lui montrer ne l'intéressait guère — quoi que ce pût être.

— Tu n'arrivais pas à travailler ? demanda-t-il gentiment.

— Non, répondit-elle.

— Ne te laisse pas abattre. Ce mariage te rend nerveuse, voilà tout, assura-t-il en ouvrant la porte.

— Je t'en prie, Papa, je n'ai pas envie d'en parler, fit-elle d'une voix un peu sèche.

— Je t'ai acheté un cadeau, déclara-t-il en désignant un paquet qui se trouvait sur le lit. J'espère que tu l'aimeras.

Il y eut un silence glacial. Tisha fixait le paquet. D'après sa forme, il contenait probablement une robe. Elle se mordit la lèvre. S'il s'agissait d'une robe de mariée, elle savait qu'elle ne pourrait s'empêcher de hurler !

— Allez, ouvre-le, dit son père.

Les mains légèrement tremblantes, elle commença à défaire l'emballage puis, rassemblant tout son courage, souleva le couvercle de carton. Elle écarta ensuite avec appréhension le papier de soie et découvrit une robe blanche imprimée de petites fleurs bleues. Tisha battit des paupières, soulagée. Elle la sortit du paquet et la mit devant elle.

— C'est ravissant, Papa. Je te remercie, murmura-t-elle en l'embrassant sur la joue.

Il la prit par la main et plongea son regard dans le sien. Ses yeux reflétaient tant d'amour et d'affection que Tisha en eut le cœur serré. Puis, craignant peut-être de ne pouvoir maîtriser son émotion, il baissa les paupières. Repoussant la boîte, il s'assit sur le bord du lit

— Viens là, à côté, Tish. Je crois qu'il est temps pour nous deux d'avoir une petite conversation.

Tisha étendit soigneusement la robe au pied du lit, et s'installa près de son père. Il posa une main sur les siennes et, lui entourant les épaules, l'attira contre lui.

Il la regardait avec infiniment de tendresse. Un sourire chaleureux se dessinait sur sa bouche.

— Je n'arrive pas à me souvenir de la dernière fois où je t'ai dit que je t'aimais. Les parents ne sont pas supposés parler de ce genre de choses à leurs enfants, cela semble si naturel... Mais, aujourd'hui, tu dois savoir tout ce que tu représentes pour moi.

— Je t'aime, moi aussi, Papa, fit Tisha dans un souffle.

— Après ta naissance, nous avons appris, ta mère et moi, qu'elle ne pourrait plus jamais avoir d'enfant. Etant dans l'impossibilité, désormais, de me donner un garçon, elle a pensé devoir me quitter... Et je ne crois pas avoir jamais réussi à la convaincre que j'étais pleinement satisfait de t'avoir. C'est vrai, je désirais un garçon — comme tout homme. Mais, je ne t'en ai pas moins aimée pour autant.

Tisha appuyait la tête sur son épaule, et il lui passa gentiment la main dans les cheveux.

— Si j'avais pu t'échanger, à la minute même où tu es née, contre un garçon, je ne l'aurais pas fait. Tu me crois ?

— Oui.

La petite ride qui creusait le front de Richard Caldwell disparut.

— Je cherche uniquement ton bonheur, même si bien des fois je me suis montré maladroit.

— Je n'aurais pas voulu avoir un autre père que toi...

Elle ne s'était jamais sentie si proche de lui depuis des années. A cet instant précis, elle n'éprouvait à son égard ni colère, ni ressentiment, bien qu'il voulût la marier contre son gré.

— Durant ces derniers jours, poursuivit-il, j'ai souvent eu l'occasion de parler avec Roarke. Il est tout à fait conscient du fait que je précipite un peu les choses et se montre préoccupé par cette situation.

Inconsciemment, Tisha retint sa respiration. Le moment était-il venu ? Son père allait-il lui dire qu'il acceptait la proposition de Roarke de prolonger leurs « fiançailles » ?

— Dimanche dernier, je me suis laissé aveugler par la colère, et mon jugement a été faussé. Après avoir retrouvé mon calme, je me suis mis à réfléchir et j'ai compris que j'avais agi à la hâte. J'étais assailli par le doute...

Il fit une pause.

— Mais, mes nombreuses conversations avec Roarke m'ont convaincu qu'il ne songeait qu'à ton bonheur. Je crois pouvoir affirmer qu'il fera un excellent mari.

Tisha frémit ; le chagrin lui déchirait le cœur. Le mariage n'était pas repoussé ! Elle serra les lèvres avec force, se retenant de crier. Elle n'avait plus qu'une pensée en tête : aller trouver Roarke et lui annoncer l'échec de son plan. Il leur restait seulement quelques heures pour en échafauder un nouveau — quelques heures...

— M'en veux-tu beaucoup d'avoir arrangé ce mariage sans te consulter ? demanda son père.

— Non, répondit-elle de bonne foi.

Au fond, peu lui importait cette cérémonie. Elle n'aurait jamais lieu. S'il le fallait, Tisha prendrait la fuite.

— Quand nous nous sommes mariés, ta mère et moi ce fut vraiment ce qu'on appelle un grand mariage, dit il. Sur l'insistance des parents de Lenore, même le grands-tantes et les cousins au quatrième degré furen

132

invités. Cela dura toute la journée et, probablement, toute la nuit. Mais nous nous sommes éclipsés bien avant la fin.

Il garda le silence comme s'il revivait ces scènes précieuses qui surgissaient de sa mémoire. Quelques secondes plus tard, il continua à évoquer ses souvenirs. Il parlait à voix basse et avec une grande tendresse.

— Nous roulions depuis un petit moment, lorsque Lenore me confia qu'elle se serait volontiers passée de cette cérémonie. Confondu, je crus tout d'abord qu'elle regrettait de m'avoir épousé. Puis, elle s'expliqua, les yeux baignés de larmes : elle considérait notre union comme une bénédiction de Dieu, et nous aurions dû échanger nos serments dans l'intimité, seuls devant l'autel, sans toutes ces demoiselles et ces garçons d'honneur... notre amour avait un caractère sacré, et nous n'avions pas à en faire étalage. A cet instant, nous traversions une petite ville. Comme nous passions près de l'église, nous vîmes de la lumière, et décidâmes de nous arrêter. Et c'est ainsi que, loin du monde, devant des bancs vides, nous avons renouvelé nos serments. Nous nous aimions, Tisha, plus que les mots ne sauraient le dire.

Sa voix se brisa, et il enfouit son visage entre ses mains.

— Et c'est la raison pour laquelle, ma petite fille chérie, murmura-t-il, ton mariage avec Roarke se fera dans la plus grande simplicité. Car seule cette union dans une petite église perdue garda pour ta mère et pour moi une véritable valeur. Et je veux qu'il en soit de même pour toi.

Elle se tourna vers lui, prit ses mains, et les embrassa. Elle se sentait submergée par une vague de sentiments contradictoires. Comment pouvait-elle lui avouer qu'elle ne se rendrait pas à la cérémonie ?

— Je n'avais jamais réalisé à quel point tu aimais Maman.

— Elle m'aimait aussi, fit-il en la serrant contre sa poitrine. Je vous ai bien observés tous les deux ; vous me faites penser au couple que nous formions avec Lenore. Tu le quittes rarement des yeux. C'est un peu comme si tu lui parlais, en permanence, d'une façon muette. Ta mère agissait ainsi, m'envoyant sans cesse toutes sortes de messages. Je parie que tu ne pensais pas ton vieux père capable de remarquer ce genre de choses ?

Tisha sentit qu'il souriait, penché au-dessus d'elle.

J'ai compris hier soir pourquoi tu es — ou déclares être — si violemment opposée à ce mariage, remarqua-t-il. En voici la raison essentielle : selon toi, je précipite la cérémonie parce que je te soupçonne d'avoir passé la nuit avec Roarke, le week-end dernier. Or je sais que tu ne l'as pas fait.

— Comment ? souffla-t-elle.

— Tu ne m'as jamais menti, mon petit. Et Roarke te respecte trop pour avoir tiré avantage de la situation. Je suis heureux que tu aies attendu — c'est terriblement démodé — mais c'est ainsi. Souviens-toi de ce que tu m'as dis, il y a deux semaines ?

Il eut un petit rire et s'écarta légèrement de Tisha.

— Cela semble très loin. A t'entendre, il suffisait que tu me présentes un garçon pour qu'aussitôt je lui trouve tous les défauts. Tu avais tort. Roarke me paraît très bien. Tu n'aurais pas fait un meilleur choix, même si tu avais parcouru la terre entière. Ainsi, en plus d'une fille que j'adore, j'aurais un gendre. Un père ne saurait être plus heureux.

Abasourdie, Tisha ne pouvait détacher les yeux de son père. En proie à une grande confusion, elle se sentait incapable d'opposer le moindre argument.

Il jeta un coup d'œil à sa montre et hocha la tête, l'air préoccupé.

— Je traîne et j'en arrive à oublier l'heure. Nous devons être à l'église dans trois quarts d'heure, et tu n'as même pas eu le temps d'essayer la robe.

La répétition de la cérémonie, pensa-t-elle avec tristesse. Au moins, Roarke serait là. Elle se leva et prit la robe.

— Tu... tu veux que je la mette ? demanda-t-elle avec hésitation.

— Je ne suis pas sûr que le pantalon convienne vraiment, remarqua-t-il en souriant. Seras-tu prête rapidement ?

— D'ici dix minutes, guère plus.

Elle se changea machinalement, l'esprit occupé par les propos de son père. Il était persuadé qu'elle aimait Roarke... Certes, elle lui adressait de fréquents regards ; mais on ne pouvait ignorer un homme comme Roarke quand il se trouvait dans une pièce. Elle lui prêtait attention uniquement parce qu'il lui avait offert un moyen de se sortir de ce piège — un piège qui s'était également refermé sur lui. Là où son père voyait de l'amour, il n'y avait que des liens de circonstance entre deux êtres cherchant à se sortir d'un mauvais pas.

Tisha accentua légèrement son maquillage, ajoutant un peu d'ombre à paupières pour mettre en valeur le vert sombre de ses yeux. L'inquiétude et la nervosité avaient creusé son visage. Cette pâleur, ces traits tirés lui donnaient une grâce un peu éthérée. Sa robe, très élégante, l'avantageait, mais elle n'en avait pas vraiment conscience, car toutes ses pensées étaient tournées vers Roarke dont elle espérait à présent un miracle.

En pénétrant dans le salon, elle remarqua à peine que son père avait passé un costume strict et Blanche un ensemble rouge très raffiné. L'air absente, elle esquissa un sourire inexpressif quand son père lui prit la main et la porta à ses lèvres.

— Tu es ravissante, Patricia, dit-il avec une évidente sincérité.

Elle hocha la tête, et, dans son for intérieur répondit : « Nous ferions mieux de nous dépêcher, sinon nous allons être en retard. » Poussée, à son corps défendant, par une force absolument irrésistible, elle voulait voir Roarke le plus vite possible.

Le trajet dans Hot Springs lui parut interminable ; s'il avait fallu soutenir une conversation, c'eût été insupportable. Par bonheur, son père et Blanche gardèrent le silence.

Tisha crut que ses jambes ne la porteraient pas jusqu'au bout tandis qu'elle franchissait le seuil de l'église, aux côtés de son père. L'entrée était déserte. Anxieusement, elle chercha Roarke du regard ; il ne devait pas être loin, car elle avait aperçu sa voiture dehors. Elle ne vit pas son père se tourner vers Blanche, ni celle-ci lui donner quelque chose. Il s'approcha, une mantille de dentelle à la main, et délicatement la déposa sur sa longue chevelure.

— Je n'ai pas besoin d'avoir la tête couverte, n'est-ce pas ? protesta-t-elle.

— C'est la coutume, insista-t-il tranquillement.

Il lui adressa un petit clin d'œil rassurant et prit sa main qu'il posa sur son bras. Les portes conduisant à l'intérieur de l'église étaient ouvertes, et Tisha, de bonne grâce, lui emboîta le pas. Elle aurait préféré s'entretenir avec Roarke avant la répétition, pensa-t-elle, nerveuse. Ils pénétrèrent dans la nef latérale, et elle vit Roarke devant l'autel, en compagnie du prêtre. Elle sentit ses genoux fléchir et tourna la tête vers son père. L'expression de son visage buriné était grave et recueillie.

— Mais...

Prise de panique, elle resta sans voix.

— Mais ce n'est pas la répétition ?... murmura-t-elle.

C'était plus une constatation qu'une question à proprement parler. Il dut la soutenir par la taille, tandis qu'il continuait de remonter la nef en direction de Roarke.

— Bien sûr que non, répondit-il, comme si elle ne pouvait l'ignorer.

Les yeux de Tisha, agrandis par la peur, rencontrèrent ceux de Roarke qu'éclairait une lueur tendre et sérieuse à la fois. Il semblait s'excuser. Richard Caldwell lui tendit la main tremblante de sa fille. A son tour, Roarke glissa le bras autour de sa taille car, à chaque instant, les jambes de Tisha menaçaient de se dérober sous elle. Ses lèvres s'entrouvrirent. Elle voulait parler, interrompre d'une manière ou d'une autre la cérémonie, mais le prêtre lança :

Mes chers frères, nous...

A présent, il était trop tard, Tisha le savait. Le prêtre allait l'unir à l'homme qui se tenait à ses côtés. La tête inclinée, elle répéta les paroles sacramentelles d'une voix à peine audible. Filtrant au travers des vitraux, le soleil jetait des reflets dorés sur les cheveux de Roarke ; celui-ci observait Tisha tandis qu'elle prononçait le serment de fidélité.

La voix, claire et forte, de Roarke résonna jusqu'au plus profond d'elle-même. Brusquement la lumière se fit en elle : elle l'aimait. Cette révélation, presque douloureuse, la terrifia. Son cœur battait à tout rompre.

Une certitude venait de s'imposer à elle : désormais, elle lui appartenait corps et âme. Non pas à cause d'un acte de mariage mais parce qu'elle le voulait. Elle désirait partager sa vie, avoir des enfants de lui, vieillir à ses côtés.

Elle avait presque cru, un moment, que leurs aspirations étaient communes ; mais elle ne s'était pas bercée d'illusions bien longtemps. Son père les avait, tous

137

deux, bel et bien forcés à se marier. Et Roarke, pour éviter un scandale, s'était rendu à ses arguments.

Comment un mariage pouvait-il durer dans ces conditions ? La réponse s'imposait d'elle-même, pensa Tisha. Aux yeux de la loi, ils étaient mari et femme, mais cette situation ne se prolongerait pas indéfiniment. A la première occasion, il tâcherait de se sortir de cette mauvaise posture.

Et si Roarke découvrait un jour son amour pour lui ? A cette pensée son cœur se serra. Il penserait certainement qu'elle avait agi de connivence avec son père pour le contraindre à l'épouser. Jamais il ne lui pardonnerait...

Ses yeux se posèrent sur l'alliance qu'il avait glissée à son doigt. Désormais au chatoiement du diamant s'ajoutait celui de l'or. C'était comme si les couleurs de l'arc-en-ciel se mêlaient au reflet lumineux de la lune. Mais l'un et l'autre resteraient hors d'atteinte sans l'amour de Roarke.

— En vertu des pouvoirs qui me sont conférés, je vous déclare unis par les liens du mariage, déclara le prêtre. Vous pouvez embrasser la mariée.

Tisha baissa les paupières. Une telle détresse lui étreignait le cœur, qu'elle ne se sentait pas capable de croiser le regard de Roarke. On devait y lire tant de résignation... Il se pencha vers elle et lui donna un baiser dépourvu d'affection, d'une retenue presque excessive, comme s'il ne faisait que répondre à l'invitation du prêtre. Ses lèvres étaient froides.

L'esprit confus et comme engourdi, elle entendit les multiples félicitations adressées à Roarke. Elle imagina son amertume : on le congratulait alors qu'il venait de se marier contre son gré. L'étreinte chaleureuse de son père, sa joie rayonnante, la laissèrent de marbre ; tout comme les souhaits de bonheur, à peine murmurés, de sa tante.

Elle posa la main sur la manche de son costume. Tisha n'avait pas tourné les yeux vers lui depuis l'instant où elle avait réalisé qu'elle l'aimait d'un amour profond. Leurs regards se rencontrèrent. Le visage de Roarke était plutôt grave et exprimait une grande réserve.

— Je vous en prie, dit Tisha d'une voix si basse qu'il dut se rapprocher, partons d'ici.

— Bien sûr, répondit-il, assez sèchement.

En quelques secondes, il l'avait arrachée à son père et à Blanche et entraînée hors de l'église. Ils descendirent les marches, puis Roarke la conduisit vers sa voiture. Elle aurait voulu fuir dans la direction opposée — mais, un jour ou l'autre, il lui aurait fallu le voir, l'affronter. Avant toute chose, elle devait le convaincre qu'elle ne désirait pas ce mariage. De plus, Tisha trouvait tout à fait indigne d'elle de profiter des liens du mariage pour le retenir à ses côtés.

— Ne saviez-vous pas que votre père avait avancé d'un jour la date de la cérémonie ? demanda Roarke en se glissant au volant.

— Non, affirma-t-elle d'un ton peiné. Je ne le savais pas plus que vous.

Il lui jeta un regard interrogateur et mit le moteur en marche.

— Nous sommes mariés, maintenant.

— C'est un simulacre de mariage ! déclara-t-elle pleine d'amertume.

— Que suggérez-vous ? Une annulation ?

Roarke concentrait son attention sur la circulation.

— C'est la solution qui s'impose.

— Vraiment ? remarqua-t-il, un peu énigmatique.

— Je n'aurais jamais dû vous croire, murmura-t-elle, en retirant sa mantille d'un geste rageur. Si je ne vous avais pas écouté, nous ne serions pas dans ce pétrin...

— Passez-vous toujours votre temps à vous lamenter sur ce qui est fait ?

139

— Je ne suis pas assez folle pour croire que les choses finissent obligatoirement par s'arranger, répliqua-t-elle.

— Si vous le voulez vraiment, elles s'arrangent, répondit Roarke avec beaucoup de calme.

— C'est peut-être vrai en ce qui concerne votre travail, ou les affaires. Mais, dans ce cas précis, comment parviendrez-vous à transformer un mariage forcé en un mariage d'amour ?

— Cela me paraît très difficile, reconnut-il en s'engageant sur le parking d'un hôtel.

— Qu'allons-nous faire ici ?

Il y avait un peu d'appréhension dans sa voix. Roarke lui adressa un regard légèrement moqueur.

— Je n'ai pas envie de goûter votre cuisine. Vous êtes dans un état d'esprit tel que vous essaieriez probablement de m'empoisonner. Quand on a bien mangé, les choses apparaissent toujours sous un jour plus favorable...

— Je n'ai pas faim, déclara-t-elle, peu sensible à son humour.

— Allons toujours prendre un verre. Le fait de devenir Madame Madison vous a causé un choc ; mais cela va peut-être s'atténuer, et vous retrouverez l'appétit.

— Le mot « choc » est encore trop faible ! fit-elle d'une voix coupante.

Roarke, les sourcils levés, esquissa un sourire.

— D'ailleurs, cela ne va pas tarder. Vous commencez à m'insulter, c'est le retour à la normale qui s'amorce...

Rien ne serait plus jamais « normal » dorénavant, pensa Tisha en regardant Roarke descendre de voiture et venir lui ouvrir la portière. A présent, il y avait le ciel et l'enfer, et rien au milieu — hormis une grande détresse morale. Elle pouvait toujours lui cacher son amour en lui parlant avec un maximum de sécheresse et d'ironie. C'était là son seul moyen de défense ; le seul qui l'empêcherait de se jeter à ses pieds et de lui avouer sa passion, en le suppliant de la garder à jamais près de lui.

— Est-ce que Papa a aussi prévu notre voyage de noces ? ironisa-t-elle en refusant la main qu'il lui tendait.

— C'est à nous de décider. Il ne s'en est pas occupé. Il ne pensait pas, me semble-t-il, que nous attacherions la moindre importance à l'endroit où nous nous trouverions.

Elle laissa échapper un petit rire plein d'amertume et de froideur.

— Il aurait raison... cela nous serait égal si nous n'étions pas ensemble...

— Cela me paraît difficile à réaliser... vu les circonstances ! Vous ne trouvez pas ? demanda-t-il en lui posant la main sur le bras.

Elle ne prêta pas attention à l'avertissement qui se lisait dans le regard de Roarke.

— Pourquoi ? Nous pourrions faire un voyage de noces comme on les pratique aujourd'hui. Vous allez de votre côté, et moi du mien.

Le visage de Roarke devint impénétrable.

— Et vous laisseriez votre mari dormir seul, la nuit même de son mariage ? Vous devriez avoir honte !

Elle se sentit gagnée par un terrible engourdissement.

— Auriez-vous l'intention d'exercer votre droit conjugal ?

— Cela m'a traversé l'esprit, répondit-il d'un ton suave en laissant errer son regard sur elle.

— Eh bien, oubliez-le au plus vite ! déclara-t-elle, tandis qu'une sorte de feu l'embrasait à cette idée.

— Vous sembliez plus consentante la semaine dernière, lui rappela-t-il. Pourquoi ces scrupules, alors qu'aujourd'hui la moralité serait sauve ?

Les joues de Tisha s'empourprèrent.

— Tant que ce mariage durera, nous serons unis seulement sur le papier, affirma-t-elle avec force, d'une voix un peu tremblante.

— Ainsi, j'ai perdu un peu de mon charme en vous épousant, c'est cela ?

— Non, ne put-elle s'empêcher de murmurer.

— Cela signifie donc que vous me trouvez toujours attirant ?

— Oui... Non, je veux dire !

— Que voulez-vous dire ? fit-il, les yeux éclairés d'une lueur moqueuse.

Tisha tentait de maîtriser sa respiration.

— Je... je pense que ce mariage factice ne nous mènera pas bien loin. C'est... c'est du toc !

— Ce qui peut se traduire ainsi : pas de voyage de noces aux Bermudes. Je me trompe ?

— Non ! je n'y tiens pas du tout, assura-t-elle en secouant vigoureusement la tête.

— Il ne nous reste plus, en toute logique, qu'à rentrer chez moi dès que nous aurons dîné. Etes-vous d'accord ?

Roarke semblait tout à coup n'avoir plus envie de discuter, et Tisha s'en réjouit.

— Tout à fait.

10

Tisha s'attardait sur chaque plat. Etait-ce parce qu'elle avait retrouvé l'appétit, ou bien appréhendait-elle le moment où elle serait de nouveau seule avec Roarke ? Ils parlaient à peine, et de choses banales. Cependant, le silence qui s'était établi entre eux n'était pas vraiment pesant. Après avoir pris une seconde tasse de café, Tisha savait qu'elle ne pourrait encore traîner à table bien longtemps.

Tout comme Roarke. Il fit signe au garçon d'apporter la note.

— Etes-vous prête ? demanda-t-il uniquement par politesse, la réponse ne pouvant faire de doute.

La nuit était tombée, calme et paisible ; quelques étoiles brillaient dans le lointain, et un pâle croissant de lune se détachait sur le ciel noir. Il régnait une atmosphère pleine d'intimité.

La voiture de Roarke filait à travers la campagne sur des routes désertes. Il conduisait en silence, ne prêtant guère attention à Tisha. Celle-ci se sentit de plus en plus nerveuse à mesure qu'ils approchaient de chez lui. Au passage, elle aperçut la maison de sa tante ; de petites lumières brillaient entre les sapins.

Tendue, Tisha se tenait à côté de Roarke, tandis qu'il

tournait la clé dans la serrure. L'œil moqueur, il ouvrit la porte puis l'invita à entrer.

— Je ne pousserai pas la malice jusqu'à vous porter dans mes bras pour vous faire franchir le seuil, murmura-t-il.

— Je vous en remercie, répondit-elle d'un ton sec.

En pénétrant dans l'entrée, un flot de souvenirs lui revinrent en mémoire, tous plus vivaces les uns que les autres. Roarke alluma la lumière, et elle aperçut une valise et un sac dans un coin.

— Mais qu'est-ce que cela fait ici ?

— Blanche a dû penser que vous voudriez mettre autre chose que votre robe de mariée dans les jours qui viennent...

Il s'empara de ses affaires et ajouta :

— Je vais les porter dans la chambre.

Elle le suivit dans le salon, puisqu'il ne semblait pas y avoir d'autre possibilité. Le feu brûlait dans la cheminée, et les lumières étaient légèrement tamisées. Les yeux verts de Tisha s'arrêtèrent sur le seau à glace contenant une bouteille de champagne et les coupes disposées sur un plateau.

— Mais qui donc a bien pu apporter cela ? remarqua-t-elle, non sans déplaisir.

— Cela m'a tout l'air d'être votre père, fit-il en souriant. Il tient à ce que nous célébrions dignement notre nuit de noces. Si vous ouvriez la bouteille pendant que je vais mettre tout ceci dans la chambre ?

Sans attendre une réponse, il prit la valise et le sac puis se dirigea de son pas souple vers le couloir. Tisha lança un regard irrité en direction du seau à champagne et s'approcha du divan, pensive. Quelques instants plus tard, Roarke réapparut dans le salon.

— Vous n'avez pas servi le champagne ? demanda-t-il.

— Je ne sais pas déboucher ce genre de bouteilles, dit-elle en avalant nerveusement sa salive.

Elle évita de s'asseoir sur le divan, préférant un fauteuil. D'une main experte, Roarke fit sauter le bouchon et se tourna vers Tisha, l'œil interrogateur.

— Je n'en veux pas, dit-elle.

Il haussa les épaules et se servit.

— Comme vous voudrez.

Avec une décontraction qu'enviait Tisha, il retira sa veste, desserra son nœud de cravate et alla s'installer sur le divan. Prenant un journal, il commença à le feuilleter. L'ignorait-il délibérément, ou bien considérait-il qu'en aucune façon sa présence ne le gênait ? Elle n'aurait su le dire.

— Comment pouvez-vous rester là assis, à lire ? s'exclama Tisha, exaspérée. N'y a-t-il rien d'autre à faire ?

Il abaissa légèrement son journal et la regarda.

— Quoi, par exemple ?

— Chercher un moyen d'annuler ce mariage absurde !

De nouveau, le visage de Roarke disparut derrière les feuilles largement ouvertes.

— C'est un peu prématuré.

— Pourquoi ? persista Tisha.

— Vous le savez comme moi, votre père n'acceptera pas sans réagir que nous nous séparions demain matin.

— Combien de temps devrons-nous attendre ?

Le visage de Tisha était devenu très pâle.

— Quelques mois, répondit Roarke.

— Et que ferons-nous tout ce temps-là ? fit-elle en avalant péniblement sa salive.

Roarke releva la tête et la fixa avec curiosité. Le journal, replié, était posé à côté de lui.

— Je me demande si je vous ai bien comprise.

— Où serons-nous, vous et moi, durant cette période ? dit-elle.

Elle croisait et décroisait les doigts nerveusement.

— Ici, répondit-il, l'air amusé et narquois.

— Dans cette maison ? s'exclama-t-elle en se levant d'un bond. C'est impossible !

— Pourquoi ?

En plein désarroi, elle s'agitait fébrilement.

— C'est si petit ! Nous nous marcherions constamment sur les pieds.

— Je ne vois pas ce que vous voulez dire, murmura Roarke en s'adossant confortablement contre le divan.

— Vous savez très bien de quoi je parle, répliqua-t-elle d'un ton accusateur.

— Vous êtes trop nerveuse, déclara-t-il. Prenez donc un peu de champagne.

Il sortit la bouteille du seau et remplit une coupe qu'il lui tendit.

— Et si nous portions un toast à la mariée et à son époux ? suggéra-t-il ironiquement.

Les yeux étincelants de colère, Tisha le regarda boire une gorgée. Il semblait se divertir de cette situation, ce qui l'irritait profondément.

— Je préfère boire à notre séparation prochaine.

Comme pour appuyer cette déclaration, faite d'une voix basse et tremblante, Tisha vida presque entièrement le contenu de sa coupe.

— C'est un excellent champagne, il doit être dégusté et non avalé...

Défiant Roarke, elle but le reste de son verre en rejetant la tête en arrière. Elle brûlait d'envie de lancer la coupe dans la cheminée.

— A votre place, devina-t-il, j'éviterais de faire cela. Il vous faudrait un temps infini pour ramasser les minuscules bouts de verre parsemés sur le tapis. Veiller à la propreté de la maison, cela fait partie des attributions d'une épouse...

— Ainsi, c'est la raison pour laquelle vous voulez me garder ici, constata-t-elle. Vous aurez une femme de ménage, une cuisinière... Et gratuitement, en plus !

— J'ai au contraire l'impression que cela me coûtera très cher... souligna-t-il.

— Je ne veux rien recevoir de vous ! s'écria-t-elle. Ni votre argent, ni votre nom !

— Que voulez-vous ? demanda-t-il d'un ton paisible.

Ses paupières se rétrécirent jusqu'à former une mince fente. Il la fixait attentivement. Tisha sentit sa gorge se serrer. Elle désirait son amour, mais elle ne pourrait jamais le lui dire. Au lieu de cela, elle se redressa fièrement.

— Etre seule.

Avec décision, elle se dirigea vers le couloir, renonçant à poursuivre cette discussion.

— Où allez-vous ? demanda Roarke, d'une voix douce.

— Au lit, lança-t-elle par-dessus son épaule.

— C'est un peu tôt, vous ne trouvez pas ?

— Certes, il n'est que neuf heures, mais je dois défaire mes paquets et prendre une douche.

— Cette journée a été particulièrement éprouvante, reconnut-il. Surtout pour les nerfs. Je crois effectivement que cela ne vous fera pas de mal de vous coucher tôt.

— Pour une fois, nous sommes d'accord, murmura-t-elle, sarcastique, en se précipitant vers le hall d'entrée avant qu'il ait pu formuler la moindre réponse.

Sa valise et son sac étaient près du lit. Mais, Tisha n'avait pas la moindre intention de les défaire. Elle ne resterait pas bien longtemps dans cette maison, et surtout pas des mois... Elle se mit à chercher son pyjama ; quelques instants plus tard, un pli amer se dessina sur sa bouche. Blanche n'avait mis dans sa valise qu'une chemise de nuit en soie qui épousait audacieusement ses formes.

Munie de son nécessaire de toilette, elle gagna la salle de bain. Elle essaya de ne pas penser aux souvenirs que cette pièce faisait irrésistiblement naître en elle. Au moins, cette fois-ci, elle n'aurait pas à porter le pyjama de Roarke songea-t-elle en se glissant sous la douche.

Un quart d'heure plus tard, elle passa une robe de chambre bleue sur sa chemise de nuit, ouvrit la porte puis pénétra dans la chambre. Roarke, la chemise déboutonnée, se tenait assis sur le lit.

— Que faites-vous ? fit Tisha dans un souffle, les yeux écarquillés.

— Je me suis dit que vous aviez eu une excellente idée en décidant de vous coucher tôt.

— Vous allez dormir ici ? demanda-t-elle d'une voix hésitante.

Il haussa les sourcils d'une manière moqueuse.

— Je n'ai pas la moindre envie de passer une nouvelle nuit sur le divan.

— Eh bien, dans ce cas, c'est moi qui dormirai dans le bureau. Je n'ai pas l'intention de partager votre lit, figurez-vous !

Elle se hâta de traverser la chambre, n'ayant qu'une peur : sentir la main de Roarke s'abattre sur son épaule. Jetant un coup d'œil rapide sur le côté, elle s'aperçut qu'il était toujours sur le lit ; il retirait ses chaussures, et elle se sentit soudain désappointée car il n'avait rien tenté pour la retenir...

S'installant sur le divan du bureau, Tisha constata qu'elle avait oublié de prendre des oreillers et des couvertures. Elle renonça à retourner dans la chambre, craignant que Roarke ne se montre trop entreprenant. Il lui serait impossible de trouver le sommeil, pensa-t-elle — de toute façon.

Dans un coin de la pièce, un électrophone était disposé sur un petit meuble. Tisha s'approcha et se mit à fouiller dans la rangée de disques, juste à côté. Elle en choisit un et le posa sur la platine. Une musique mélancolique emplit aussitôt le bureau. Assise sur le divan, les genoux ramenés sous le menton, elle se laissa bercer par ces harmonies en mineur qui correspondaient si bien à son état d'âme.

Une ombre se dessina sur le sol. Elle releva la tête et ses yeux croisèrent ceux de Roarke. Il était d'un calme impressionnant. Tisha se raidit.

— Que venez-vous faire ici ? demanda-t-elle sur ses gardes.

— Je n'ai pas envie de passer la nuit à écouter ces violons.

Il fit quelques pas en direction de l'électrophone et arrêta le disque. A présent, son cœur battait à tout rompre et Tisha eut l'impression que, dans la pièce soudain silencieuse, Roarke devait l'entendre distinctement. Elle essayait de paraître placide et flegmatique comme Roarke.

— Pourriez-vous m'apporter un oreiller et des couvertures, dit-elle d'un air glacial.

— Non.

Le ton de sa voix était si posé, si tranquille, qu'elle ne comprit pas tout d'abord.

— Qu'est-ce que cela signifie ?

— Tout simplement ceci : vous n'en avez pas besoin, expliqua Roarke qui se tenait dans un coin relativement obscur.

— Pourquoi ? Auriez-vous décidé de dormir ici ?

Il s'approcha lentement. A présent, elle distinguait son visage. Son regard inflexible plongea dans le sien.

— Non. Et vous non plus.

Elle secoua violemment la tête.

— Ne croyez pas que je vais passer la nuit avec vous, déclara-t-elle, légèrement tremblante.

— Si, pourtant.

Roarke la prit par la main et la força à se lever.

— Et cela ne sert à rien de discuter.

Tisha s'efforça de se dégager.

— Non, je ne veux pas ! Je refuse !

La panique la gagnait progressivement.

— Cessez donc de mentir. Et n'essayez de me dire que vous ne me désirez pas, tout comme je vous désire.

— Non ! Non ! Je vous en prie...

Comme elle se débattait de plus en plus vigoureusement, il glissa un bras autour de sa taille et la souleva de terre. Il franchit la porte et s'engagea dans le couloir.

— Lâchez-moi ! fit-elle, en battant l'air de ses jambes. Je ne veux pas coucher avec vous ! Je ne veux pas que vous me touchiez ! Cela ne fait pas partie de notre accord...

— Il n'y a jamais eu d'accord, rectifia Roarke.

La chambre était restée ouverte. Il y pénétra et claqua la porte du pied. Du coin de l'œil, Tisha aperçut le lit dont les couvertures étaient rabattues. Elle s'agita de plus belle.

— Arrêtez ! Posez-moi par terre !

Dans ses cris perçait le désespoir.

— Vous êtes un homme odieux, sans scrupules, accusa-t-elle encore bien inutilement, et... bestial !

Une lueur amusée éclaira le regard de Roarke. Il consentit à la poser, mais continua de la tenir par les bras.

— Il y a un seul moyen de vous faire taire, n'est-ce pas ? remarqua-t-il en souriant.

Il l'attira violemment contre sa poitrine et, se penchant sur ses lèvres, arrêta le flot d'injures. Tisha résista encore quelques instants, mais le désir de Roarke était trop violent, trop impérieux, pour qu'elle ne cédât pas.

Elle poussa un profond soupir et, résignée, s'abandonna à son étreinte. Elle croisa les doigts autour de sa nuque, offrant son corps à ses caresses. Les baisers de Roarke sur son cou et à la naissance de sa gorge la faisaient frissonner.

Il fit glisser la robe de chambre de ses épaules. Et, quand elle sentit les doigts de Roarke se poser sur la bretelle de sa chemise de nuit, Tisha sut qu'elle ne pourrait plus reculer. Elle ne le désirait pas, d'ailleurs.

— Roarke, murmura-t-elle. Il y a une chose que vous devez savoir : je vous aime.

— Je l'avais deviné depuis longtemps, fit-il contre sa bouche.

— Roarke...

— Vous parlez trop, déclara-t-il en la soulevant une nouvelle fois, et en la portant vers le lit, tandis que ses lèvres se posaient sur les siennes.

Quelques heures plus tard, dans la nuit, il se tourna vers Tisha et, cette fois, elle s'offrit à son désir sans la moindre résistance. Il lui révéla les délices de l'amour physique et éveilla en elle une sensualité qui ne demandait qu'à s'épanouir, s'accomplir.

Le matin, elle se leva tôt. Le soleil brillait, inondant la chambre. Roarke dormait encore. L'exaltation et la griserie de la nuit avaient fait place à des sentiments beaucoup plus modérés. A présent, Tisha se souvenait que Roarke n'avait pas voulu l'épouser.

Elle regardait par la fenêtre, absente. Ainsi, il s'était rendu compte de son amour et il en avait profité pour satisfaire son désir. D'ici quelques mois, le divorce prononcé, il l'abandonnerait. Elle n'avait jamais réalisé à quel point il pouvait être humiliant d'aimer quelqu'un qui ne partageait, ni ne rendait cet amour, de désirer sans être désiré.

Jamais, elle ne le supplierait de rester ! La nuit passée, elle avait montré une trop grande faiblesse.

Aujourd'hui, elle saurait se montrer plus forte, et de même les jours à venir.

Tisha se tourna vers le lit. Roarke était réveillé ; son regard où luisait une flamme sombre, glissa sur elle. Immédiatement, elle sentit son corps s'embraser. Mais elle redressa le menton avec détermination.

— Bonjour, dit-elle d'un ton plein de froideur.

Il s'accouda sur l'oreiller. Ses paupières se rétrécirent.

— Bonjour. Une masse d'air froid semble s'être déplacée jusqu'ici, cette nuit.

Elle ne releva pas l'allusion et déclara :

— Je vais faire du café. Si tu en veux, tu n'as qu'à venir dans la cuisine.

Pour aller de la fenêtre à la porte, Tisha devait obligatoirement longer le lit. Malgré sa prudence, elle ne put l'empêcher de la saisir par le poignet.

— Que se passe-t-il ? demanda-t-il.

Les couvertures glissèrent le long des épaules de Roarke, découvrant son corps musclé et bronzé.

— Je n'ai pas la moindre envie de batifoler au lit, ce matin, lança-t-elle, sarcastique. Tu es donc prié de lâcher ma main.

Une ride creusa le front de Roarke.

— Qu'est-il arrivé à la femme, amoureuse et passionnée, que je serrais dans mes bras, cette nuit ?

— Cette nuit, j'ai fait une erreur... dit-elle d'une voix vibrante de colère. Mais cela ne se reproduira plus !

Il la secoua assez brutalement, la forçant à s'asseoir près de lui. Ses yeux, à l'expression inquiétante, n'étaient plus que deux fentes étroites. Tisha se tenait raide, mais elle ne chercha pas à s'échapper.

— Aurais-tu honte de ce qui s'est passé cette nuit entre nous ? murmura Roarke.

— Oui ! s'exclama-t-elle, d'un ton cinglant.

— Mais au nom du ciel, pourquoi ? Nous sommes mariés...

152

— Peu importe la légitimité de notre union ! répondit-elle aussitôt, non sans dérision.

— Tu ne peux tout de même pas l'oublier.

— Tout comme je ne peux oublier que nous sommes mariés avec le fusil de mon père pointé dans le dos ! répliqua Tisha.

Il rejeta la tête en arrière et éclata de rire. Tisha, le souffle court, le vit se retourner vers elle, le regard chargé de tendresse.

— Ainsi, c'est cela qui te trouble à ce point ?

Sa voix caressante, ses yeux de braise, firent battre le cœur de Tisha.

— Tu t'es conduit d'une façon méprisable et basse en profitant de la situation qui t'était offerte, lui rappela-t-elle sèchement.

— En quoi est-ce si méprisable d'avoir fait l'amour avec ma femme ? Surtout si elle y a pris plaisir ?

Ses lèvres frôlèrent la joue de Tisha.

— Ne change pas de sujet ! s'exclama-t-elle.

Elle s'efforçait de demeurer immobile malgré la bouche de Roarke qui glissait le long de sa mâchoire, puis suivait la veine du cou.

— Mon père t'a forcé à m'épouser, ajouta-t-elle, avec amertume.

— Personne ne m'a jamais obligé à faire quoi que ce soit, Patricia Caldwell Madison, déclara-t-il en relevant la tête.

— Tu ne peux tout de même pas nier que tu t'es marié contre ta volonté... remarqua Tisha avec irritation.

— Si, répondit-il.

Stupéfaite, Tisha le regardait avec insistance, la bouche grande ouverte.

— Donc cela signifie... Tu veux dire...

Elle n'osait achever sa phrase de peur de l'avoir mal compris.

— C'est très clair : je t'aime, j'ai voulu t'épouser, j'aimerais que nous ayons des enfants, et c'est toi que je voudrais voir se balancer dans un rocking-chair quand nous serons devenus vieux.

Elle poussa un soupir.

— Mais pourquoi... Papa...

En proie à une grande confusion, elle ne parvenait à exprimer les questions qui lui brûlaient les lèvres.

— Tu voulais reculer le mariage, n'est-ce pas ?

— Tout simplement parce que je voulais être sûr de ton amour.

Roarke passa un doigt sur les lèvres de Tisha.

— Tout cela aurait été beaucoup plus simple si ton père n'était pas venu ici, la semaine dernière. Tu t'es mise sur la défensive. A mon avis il était préférable de ne pas nous marier tout de suite, mais ton père n'a pas vu l'utilité d'attendre. Et, le jour où je t'ai donné la bague, j'étais persuadé que tu m'aimais.

— Je t'aime, Roarke. Je l'ai compris devant l'autel quand nous avons échangé les serments, murmura-t-elle, sans se rendre compte que les mains de Roarke se nouaient autour de son cou. Je ne pouvais pas croire que tu m'aimais.

— A partir d'aujourd'hui, il ne faudra plus en douter.

Elle effleura ses lèvres, et une lueur malicieuse brillait dans son regard lorsqu'elle murmura :

— Peut-être auras-tu besoin de ta vie entière pour me le prouver.

— Ce sera avec joie, répondit Roarke.

Il resserra son étreinte.

— J'espère que tu n'as pas l'intention d'aller faire le café, maintenant...

— Quel café ? murmura Tisha en souriant, comme il se penchait pour prendre ses lèvres.

Étude du LION

par Madame HARLEQUIN

(23 juillet-22 août)

Signe de Feu
Maître planétaire : Soleil
Pierres : Diamant, Topaze
Couleurs : jaune, or
Métal : Or

Traits dominants :

Fierté, loyauté
Tempérament de feu, abondante vitalité
Se dévoue sans compter
pour les causes qu'il défend

LE LION

(23 juillet-22 août)

Le caractère emporté de Tisha lui fait prononcer des paroles qui dépassent sa pensée.
Mais elle ne les regrette pas, car c'est là sa
façon de se défendre contre tous ceux qui
ont un tempérament aussi fort que le sien.

Il lui est bien difficile de vaincre son orgueil
mais la volonté tranquille de Roarke finit
par venir à bout de ce Lion indomptable qui
aspire seulement, en fait, à se soumettre à
son dompteur bien-aimé.

UNE GRANDE NOUVELLE

"Quatre livres par mois, cela n'est
pas suffisant!"

Voilà ce que nous ont écrit de nombreuses
lectrices. Tant et si bien que nous nous
sommes laissé convaincre…

Maintenant, la Collection Harlequin vous
offre, chaque mois, six nouveaux romans.

Avez-vous déjà lu, dans la Collection Harlequin...

Ces titres sont disponibles à votre dépositaire.

Quelques commentaires
de nos lectrices sur
la Collection Harlequin...

"Jamais je n'ai lu un livre avec autant
de passion, surtout que chaque livre
comprend un tendre roman d'amour."
J.G.B.,* St. Elzéar, P.Q.

"Je les ai lus, pour ne pas dire dévorés."
E.G., Delisle, P.Q.

*Noms fournis sur demande.